D1156756

ARNOLD L. LIEBER

LES POUVOIRS DE LA LUNE

Effets biologiques
et répercussions sur les êtres humains

RÉALISÉ PAR JÉRÔME AGEL

Traduit de l'américain par Gisèle Busquère d'Emperdrix

UNE ÉDITION SPÉCIALE DE LAFFONT CANADA LTÉE

Titre original : THE LUNAR EFFECT
biological tides and human emotions

© Arnold L. Lieber, M.D., et Jerome Agel, 1978
Traduction française : Éditions Robert Laffont, S.A., Paris, 1979

ISBN 2-221-00353-5
(édition originale :
ISBN 0-385-12897-5 Anchor Press/Doubleday, New York)
I.S.B.N.-89149-015-0

Design de la jaquette: **COMMUNIVOX**
Illustration de la pastille: **LOUIS BRUENS**

Imprimé aux Etats~Unis, 1981

A mes mentors,

Marshall M. Lieber, Docteur en médecine (1904-1974), mon père et mon modèle, pour sa curiosité scientifique et son ouverture d'esprit.

Seymour L. Alterman, Docteur en médecine, qui m'a encouragé et m'a donné la possibilité de commencer mes recherches cliniques quand j'étais étudiant en médecine.

James N. Sussex, Docteur en médecine, qui grâce à son courage, à sa générosité et à l'ampleur de sa vision, a permis à cet ouvrage de voir le jour.

*Il y a des marées dans les entre-
prises humaines...*

JULES CÉSAR, IV, III.

*Pour moi, il ne fait aucun doute
que la lune agit sur l'homme.*

CARL SAGAN.

*Dans la mémoire de l'homme, la
lune est un mauvais présage, et le
fou n'est rien d'autre qu'un homme à
qui il arrive de se souvenir mieux
que les autres.*

The New Yorker.

Le concept unitaire proposé ici est compatible avec la théorie unitaire d'Einstein, avec la théorie de l'évolution de Darwin et avec la théorie des systèmes généraux de Ludwig von Bertalanffy.

INTRODUCTION

Il y a dans la vie des périodes qui reviennent, et dont les raisons nous demeurent inconscientes, ou restent au-delà de notre entendement. Les forces et les équilibres se manifestent dans notre monde par des effets dont les coïncidences apparentes semblent n'avoir pas de rapports compréhensibles. L'influence de la lune sur notre vie est ressentie depuis des milliers d'années, mais c'est maintenant seulement que la science est en mesure d'en pénétrer les aspects fondamentaux.

La plupart des preuves contenues dans ce livre sont nouvelles, et les informations susceptibles d'éclairer les effets subtils de l'environnement naturel sur l'homme, tirées de disciplines différentes, sont présentées ici. La difficulté a été de trouver des points communs dans ces informations; les véritables relations commencent à peine à se montrer.

La lune pèse 81 000 000 000 000 000 000 de tonnes, et tourne autour de la terre à une distance moyenne de 384 400 kilomètres. Il se trouve encore des gens qui sont persuadés qu'elle n'a absolument aucun effet sur notre vie.

Au cours de ce livre *les Pouvoirs de la lune : effets biologiques et répercussions sur les êtres humains,* nous verrons quelques personnalités intéressantes faire des découvertes surprenantes. L'étendue des investigations va depuis les observations faites sur les animaux de laboratoire jusqu'aux recensements des phénomènes météorologiques. Cette odyssée nous entraînera des profondeurs de l'espace intersidéral jusqu'aux confins des études des systèmes biologiques de l'homme. Nous reculons toujours plus loin les royaumes de l'inconnu.

La lune a toujours été omniprésente dans l'environnement humain. En liaison avec le soleil, elle a été un facteur important dans l'évolution. A vrai dire, elle influence même les structures du comportement. Elle permet de comprendre les cycles naturels dans lesquels nous vivons. Ce « gros morceau de fromage » est un important maillon dans la chaîne qui relie l'homme au cosmos.

Qu'est-ce que cela signifie pour vous et moi? Est-il vrai, comme Shakespeare l'a écrit dans la première partie de *Henry IV,* que : « ... pour nous qui ne sommes rien de plus que des hommes de la lune, notre sort subit un flux et un reflux, comme la mer... »?

Ma propre recherche a « déterré » des données concernant l'influence de la lune sur le comportement violent, et conduit à des implications en psychiatrie, en médecine et dans les sciences du comportement, de même que dans la vie quotidienne ordinaire. Les gens auront une autre idée d'eux-mêmes après la lecture de ce livre.

Considérez-vous votre peau comme une frontière entre vous et l'univers? Cependant, sous beaucoup de rapports, il n'en est rien : pour beaucoup de forces cosmiques, nous ne sommes pas un obstacle, nous leur sommes même transparents. *Les pouvoirs de la lune* ne peut être appréhendé du point de vue de notre singularité dans l'univers, mais bien plutôt du point de vue de notre continuité avec lui.

Arthur Koestler nous rappelle que l'un des fondateurs * de l'univers moderne, l'astronome et législateur du cosmos, Johannes Kepler, a écrit un grand nombre de traités sérieux sur l'astrologie, où il enjoignait les théologiens, les physiciens et les philosophes « de ne pas jeter le bébé avec l'eau du bain, quand ils rejettent avec raison les superstitions des astrologues : car il ne se passe rien dans le ciel qui ne soit sensible, de quelque façon secrète, aux facultés de la Terre et de la Nature ».

Les premiers lecteurs de ce livre en ont dit qu'il était un conte « qui maintenant peut être rapporté ». Ceci est sans doute une histoire révélatrice de la découverte scientifique. Les choses qui se dévoilent ici sont surprenantes ; mais rappelez-vous, si vous le voulez, la phrase appropriée de Sherlock Holmes : « Quand vous avez supprimé ce qui est impossible, le reste doit être la vérité, serait-il absurde. »

Je pense que vous aussi serez convaincus du pouvoir de la lune, serait-il surprenant, ou même extraordinaire.

Dans la recherche originale qui a abouti à la théorie des marées biologiques, j'ai été assisté de Carolyn R. Sherin, docteur en physique.

De nombreux savants et de nombreux techniciens m'ont apporté leur temps, leur talent et leurs ressources au cours de mes recherches. Je tiens à exprimer ma gratitude :

aux docteurs en médecine Joseph H. Davis, médecin légiste du district de Dade, Samuel Gerber et Lester Adelson, coroners du district de Cuyahoga, le regretté

---

* L'autre fondateur, Tycho de Brahé, avait envoyé à Johannes Kepler ses excuses pour ne pouvoir l'accueillir personnellement, à cause de l'opposition de Mars et de Jupiter, laquelle devait être suivie d'une éclipse de la lune. En fait, en février 1600, Brahé était simplement trop occupé.

médecin légiste de la ville de New York Milton Helprin;
E. Wilson Purdy, directeur de la sécurité publique du
district de Dade, Thomas Carpenter, météorologue du
National Oceanic and Atmospheric Administration;
Douglas Duke, astronome à l'université de Miami, Fred
Haddock, astronome à l'université de Michigan;
Richard Sherin, informaticien, et Mitchell Manin, méde-
cin, assistant de recherche.

Mon travail a été financé en partie par une bourse de
l'United Way of Dade County de Floride.

Pour les études et la conception de *les Pouvoirs de la
lune,* j'ai été assisté de Jérôme Agel qui communiqua
avec moi au sujet de ce livre, et de Fred Lazarus.

Je suis ébloui par le rapport que fit Colin Wilson sur
l'histoire de la publication du livre de Robert Graves sur
la lune, *la Déesse blanche :*

« Une fois le livre terminé, des choses étranges
continuèrent à se dérouler. Le premier éditeur, qui
avait refusé de le publier, mourut peu de temps
après d'une crise cardiaque. Un autre encore refusa
le livre par une lettre violente où il disait n'y rien
comprendre et douter que quelqu'un d'autre le
puisse; un jour il s'habilla avec des sous-vêtements
de femme et se pendit à un arbre de son jardin. Par
contre, dit Graves, l'éditeur qui accepta la publication, T. S. Eliot, fut non seulement remboursé de
ses frais, mais reçut en plus cette même année
l'Ordre du Mérite. »

Dr A. L. Lieber.
Miami, mars 1978.

1

LA LUNE DANS LES MYTHES ET LES FOLKLORES

Il y a 500 millions d'années, la lune tira la vie de sa demeure originelle, la mer, et la déposa sur la terre vide. Comme elle attirait les marées sur les continents dénudés de la terre primitive, le rythme quotidien des flots exposa au soleil et à l'air les créatures des hauts fonds. La plupart d'entre elles périrent — mais certaines s'adaptèrent à la nouveauté et à l'hostilité de leur environnement... Il n'est pas étonnant que le lancement dramatique d'un engin spatial affecte nos émotions si profondément. La fusée qui s'élève dans l'air réveille en nous des instincts plus vieux que la raison...

ARTHUR C. CLARKE.

Dans l'histoire de l'homme, la lune a presque toujours, si ce n'est toujours, été considérée comme une entité puissante et mystérieuse. Elle a été adorée, crainte et consultée.

Pour nos ancêtres, le pouvoir de la lune ne faisait pas de doute. Ils vivaient au contact de la nature et avaient perçu l'harmonie entre les rythmes vitaux et les différentes phases du cycle lunaire. L'homme moderne, lui, traite la lune sans le moindre respect. Nombreux sont les savants qui ne voient en elle rien de plus qu'une grosse cendre grise dans le ciel. Comme pour ajouter la dégradation à l'affront, nous avons même marché sur elle. Pourtant nos ancêtres détenaient bien un savoir.

L'attribution du pouvoir surnaturel à notre plus proche voisin céleste par des sages, bien avant la science moderne, peut maintenant s'appuyer sur des découvertes scientifiques.

Nous apprenons maintenant que notre satellite naturel unique exerce une influence subtile sur les émotions, la sécurité, la santé du corps et de l'esprit. Des études sont en cours. Elles traitent des rapports entre la lune et la violence des hommes et leur fertilité. La lune est une amante.

La lune est un tueur.

La lune altère la chimie de notre corps.

La lune nous tient — littéralement — sous son emprise.

On ne peut plus rejeter ni taxer de superstition la sagesse ancienne concernant la lune et son pouvoir. Nous nous devons de la considérer de plus près. Il est plus facile de rejeter un savoir dans son intégralité que de vérifier la validité de ses concepts, surtout si beaucoup n'y voient que des contes de bonne femme. Il est malaisé de définir et de trouver la ligne séparant le réel de l'imaginaire. Les résultats d'enquêtes récentes sont surprenants et les croyances scientifiques modernes pourraient bien s'avérer n'être rien d'autre qu'un mythe contemporain.

Près d'un siècle avant l'énoncé des lois de la gravitation universelle par Isaac Newton, le fondateur de l'astronomie moderne Johannes Kepler (1571-1630) affirma que la lune contrôlait les marées. Mais il ne put expliquer comment. Il ne put établir un lien de cause à effet. Galilée, un des plus grands astronomes de son époque, traita la théorie de Kepler d' « ineptie astrologique ». Kepler était aussi astrologue. Il établissait des horoscopes qui contribuaient à maintenir l'union de l'âme et du corps.

Du temps de Kepler peu de gens faisaient la différence entre l'astrologie et l'astronomie. Galilée, lui, la faisait bien sûr; et son rejet en bloc de l'astrologie le conduisit à réfuter l'influence de la lune. Pour avoir posé les fondations de la dynamique moderne — la science qui traite des corps en mouvement — il croyait que les marées étaient provoquées par des irrégularités du mouvement de rotation terrestre. C'est Newton, né un an après la mort de Galilée, qui devait expliquer les effets précis de la lune sur les marées. Ce qui fut un temps considéré comme de l'astrologie est devenu aujourd'hui un principe fondamental d'astronomie.

La phrase de Donne « Nul homme n'est une île » s'applique à tous les phénomènes de l'univers. Toutes les choses sont intimement liées, même si nous ne pouvons pas toujours démontrer le lien qui existe entre elles.

Vous sentez-vous bizarre? Jetez un coup d'œil à la phase de la lune. C'est probablement la pleine lune.

Vous sentez-vous violent? Jetez un coup d'œil à la phase de la lune. C'est probablement la pleine lune.

Vous ne pouvez pas fermer l'œil? Jetez un coup d'œil à la phase de la lune. C'est probablement la pleine lune.

Certains médecins organisent leur emploi de temps pour faire face à une recrudescence du nombre de leurs patients au moment de la pleine lune. Le Dr Allan Cott — éminent psychiatre de New York — m'a dit qu'à l'hôpital où il exerce, son équipe et lui-même ne trouvent qu'une seule explication au désordre soudain du comportement de leurs patients : il se déclenche brutalement au signal de la lune. Il a remarqué lors des périodes de pleine lune que ses interlocuteurs au téléphone ont tendance à être grossiers.

17

« Les fous commencent à me harceler pendant la pleine lune », m'a dit Gerry Studds député du Massachusetts. « Quand je demande à ma secrétaire ce que nous avons reçu comme appels téléphoniques pendant la nuit, elle me répond invariablement : « Oh, rien de plus que le lot habituel de cinglés. »

Jusqu'à présent aucune information scientifique n'est venue étayer l'opinion des médecins pour qui le comportement des patients est exacerbé durant la pleine lune. Mais les observations empiriques du personnel hospitalier dans les services des urgences et des malades mentaux soulignent avec insistance l'influence de la lune sur le comportement des individus normaux et sur celui des malades mentaux. Le personnel des institutions soignant des aliénés, des alcooliques ou des drogués partage mes opinions sur cette influence.

Un ambulancier du quartier Est de New York prétend que la circulation est toujours plus intense les nuits de pleine lune. « Ces nuits-là, il y a toujours des crimes violents et des accidents en pagaille. »

Vernon Fox, professeur de criminologie à l'université de Floride a fait de semblables expériences. Dans ses cours, des officiers de police viennent assurer qu'ils croient à une augmentation du nombre de crimes durant la pleine lune. Leur opinion résulte d'observations personnelles. Le chef des inspecteurs de police de la ville et du district de San Francisco est catégorique : « La plupart des employés d'un service public ayant une certaine expérience savent, d'une manière empirique, qu'il y a un rapport certain entre les phases de la lune et le comportement individuel. »

Un magistrat de Kingsland, en Géorgie, affirme avoir remarqué au cours de ses quatre années de service une recrudescence du nombre des mariages lors de la pleine lune.

Croire en l'influence de la lune sur les comportements

humains n'est pas une pratique stupide de gens supersti-tieux. C'est l'opinion de spécialistes qui s'appuient sur des informations puisées dans l'expérience personnelle de leur travail au contact du public.

L'effet de la lune sur la vie ne se limite pas à des bizarreries ou à des aberrations du comportement humain. Cet effet est vaste, et bien des gens ont vite su comment faire tourner cette influence prévisible à leur avantage. La lune rend de grands services aux chasseurs et aux pêcheurs. Les anciens savent depuis toujours faire bonne pêche en profitant des phases de la lune. Certains poissons mordent à la pleine lune. D'autres préfèrent la période des quartiers. « Des labres remontent jusqu'à Montauk pour suivre la pleine lune », titre le *Daily News* de New York dans sa rubrique « Chasse et Pêche ».

Il paraît naturel que les créatures marines soient très affectées par la lune puisque les marées — provoquées par la lune — constituent une force très importante dans leur environnement. Je crois que le métabolisme de certains poissons a une activité accrue durant certaines phases de la lune. A cause de cette accélération du métabolisme, les poissons consomment plus d'énergie, ce qui leur donne faim. L'appétit les fait mordre plus fréquemment à l'hameçon.

Dans la région de Miami, où je vis et où je travaille, les pêcheurs de crevettes sortent en foule lors de la pleine lune. A cette période, on peut être sûr que les crevettes montent à la surface pour se nourrir. Des familles entières, munies de filets, encombrent les ponts et ramassent des tonnes de crevettes.

Des études sur les animaux ont montré que chez certaines espèces animales l'activité physique, le métabo-lisme, l'agressivité, le comportement sexuel se trouvent considérablement accrus lors de la nouvelle lune ou de la pleine lune. Des prédateurs, comme le loup, sont très actifs lors de la pleine lune. C'est un fait que les trappeurs connaissent bien.

Il existe maintenant quantité d'ouvrages scientifiques qui traitent de l'influence des cycles solaire et lunaire sur la plantation des récoltes, leur croissance et leur moisson. Dans le monde entier, y compris en Amérique, il y a des fermiers qui tiennent compte des phases de la lune pour leurs plantations. Ils ont toujours fait ainsi. Cette pratique est prise au sérieux par les agronomes comme par les fermiers, tant modernes que traditionalistes. Les croyances populaires et les études scientifiques se rencontrent. On trouve dans les almanachs d'agriculteurs des tables indiquant les périodes de plantation et de moisson en fonction de la lune. C. R. Trowbridge, propriétaire de l'almanach : *The Old Farmer's Almanach* (créé en 1792), m'écrit que les plantes, poussant au-dessus du sol, grandissent, pense-t-on, plus vite quand la lune croît ; et celles qui poussent dans la terre se développent mieux si elles sont plantées quand la lune décroît. Etant donné les exemples de l'influence de la lune dans des domaines aussi divers de la vie courante, nous devons nous poser la question : qu'y a-t-il de vrai dans ces contes de bonne femme ?

Mes recherches sur la lune et sur l'agressivité humaine ont prouvé qu'on pouvait ajouter foi à un bon nombre d'entre eux.

Les traditions et croyances sur le pouvoir de la lune sur la vie ne contribuent guère à expliquer exactement comment se produisent ces divers effets. L'origine même de notre satellite sœur reste enveloppée du plus grand mystère. Certains savants croient que la lune faisait autrefois partie intégrante de la terre. D'après cette théorie, la lune, au diamètre de 3 473,4 km, au poids de 81 000 000 000.000 000 000 de tonnes, s'est trouvée arrachée de la surface terrestre, faisant un grand trou, maintenant rempli par les eaux de l'océan Pacifique. La lune a. il est vrai, une densité à peu près semblable à celle des roches de la surface des continents terrestres — cette partie qui aurait été arrachée. Mais quelle force cataclysmique aurait bien pu provoquer cette déchirure du globe terrestre? Personne n'a encore avancé aucune hypothèse vraisemblable.

Il existe une autre école de pensée concernant l'origine de la lune. Elle est soutenue par Immanuel Velikovsky, le spécialiste hérétique de cosmogonie. Il affirme que la lune a été capturée par la terre. Mais, s'il est vrai que la lune a été une planète indépendante saisie dans sa course, d'où venait-elle? Comment fut-elle capturée? Pourquoi ne s'est-elle pas écrasée sur la terre?

Néanmoins, elle arriva là où elle est — à une distance moyenne de 384 400 km de la troisième planète du système solaire. La lune et ses vibrations influencent les activités terrestres. Comment aborder au mieux l'étude du moment où la lune intervient dans notre vie et de quelle manière?

Les traditions et légendes sur la lune se retrouvent dans le monde entier. Elles se racontent et se répètent au cours de l'histoire. Robert Graves. poète et mythographe, a écrit que le culte de la divinité de la lune était célébré, à une époque, dans toute l'Europe et ne fut remplacé que plus tard par des religions patriarcales — d'abord païennes puis chrétiennes. La survivance de ce culte — parfois curieusement allié à un culte chrétien, montre la ténacité de cette adoration de la lune. L'historien Keith Thomas rapporte que « les farouches Irlandais » s'agenouillaient encore vers la lune quand ils récitaient le « Notre Père ». Parfois le culte de la lune prenait des formes singulièrement attardées. « En 1453, cite toujours Keith Thomas. un boucher et un paysan de Standon, Hertfordshire, furent formellement accusés pour avoir proclamé qu'il n'y avait d'autres dieux que le Soleil et la Lune. »

L'ordonnance du monde naturel apparaît implicite-
ment dans de telles croyances. Les traditions et légendes
sur la lune, aux Indes, racontent que les maux empirent
les jours de pleine lune et de nouvelle lune ; les grands
malades sont susceptibles de mourir ces jours-là. Les
Indiens notent que pendant certaines phases de la lune,
plusieurs espèces d'insectes et de reptiles deviennent
venimeux. (Cet étrange effet pourrait bien être élucidé
un jour par des études sur le comportement animal.) Les
Indiens croient aussi que les vertus curatives de certaines
plantes médicinales augmentent durant certaines phases
de la lune. Une plante médicinale cueillie pendant la
pleine lune est prétendument efficace contre l'asthme.
(Dans le chapitre 10, nous verrons comment la psychiatrie moderne semble évoluer vers une utilisation pro-
grammée de certaines médications en fonction d'un
calendrier cosmique.)

Le rapport entre la lune et les maladies mentales
constitue une part importante des traditions sur la lune.
Une étude menée par la faculté de médecine de
l'université de Vellore aux Indes — Christian Medical
College — a révélé par exemple que 58 % de la
population croyaient à l'influence de la lune sur les
maladies mentales. Au moins 10 % de cette population
continuerait à s'adresser à une sorcière pour soigner
un trouble mental. En Islande on prétend que si une
femme enceinte s'assoit face à la lune, son enfant sera
lunatique. Au Brésil, les mères cachent leurs nouveau-
nés pour empêcher la lumière de la lune de les affecter.
Une étude psychiatrique aux Etats-Unis a montré que
la périodicité des crises de psychose maniaco-dépressive
pouvait bien être fonction du rythme lunaire.

Le pouvoir de la lune s'exerce parfois sur l'aspect le
plus sombre de la nature humaine. Bien que la divinité
de la lune soit bienfaisante et fertilisante, elle était aussi
sanguinaire. Anat, déesse de la lune dans les mythes

phéniciens, devenait parfois folle furieuse et tuait par plaisir. Aucune ne surpasse Kali Ma, sombre déesse hindoue de la lune, aux méfaits sanglants. Appelée aussi « la mère noire », ses pendants d'oreille étaient faits de cadavres, et des crânes humains formaient les perles de son sinistre collier.

Selon les mythes grecs, la lune n'était pas seulement la chaste déesse Diane, mais aussi la terrifiante Hécate, maîtresse des orages et patronne des sorcières. Nous célébrons toujours la fête de Hécate : Halloween (fête célébrée la veille de la Toussaint).

Les sociétés anciennes, comme leurs mythes nous le montrent clairement, connaissaient l'existence formelle d'un lien entre la lune et la violence. Cette association se retrouve dans le monde sous la forme de la légende du loup-garou. Partout où il y a eu des loups, les gens ont raconté de terrifiantes histoires d'hommes et de femmes qui prenaient l'apparence de loups pour fondre sur le bétail et les hommes. Si les histoires de transformations physiques réelles sont contestées par la plupart des spécialistes, on doit se souvenir qu'une légende si répandue doit certainement contenir une part importante de véracité au niveau de la culture et du comportement. De plus il existe des éléments psychologiques fondamentaux incontestablement capables d'expliquer un certain degré de modification de l'apparence humaine lors de la pleine lune. Parce qu'elle concerne les rapports entre la violence et la lune, la légende du loup-garou a fourni à mes recherches un terrain culturel propice à l'étude de la périodicité lunaire des comportements agressifs humains. La plupart des savants ont complètement rejeté les loups-garous comme sujet d'étude, en vertu du préjugé qui leur fait rejeter tout ce qui concerne les transformations magiques. Certains historiens, psychologues et anthropologues se sont intéressés à ce sujet en tant que révélateur des relations entre l'homme et son environnement naturel. Grâce à eux nous avons appris que la lycanthropie — transformation de l'homme en loup — était considérée comme une forme de folie due à l'action de la lune. Les Romains croyaient que cette étrange métamorphose pouvait être la punition infligée par la lune à celui qui avait déchaîné son courroux. Il semble probable que la théorie de cette métamorphose remonte à une certaine forme du culte de la lune qui était probablement universel dans les sociétés archaïques. Dans leurs rites, les chamans et les sorciers ont toujours pris la forme d'animaux totems. L'origine de la lycanthropie remonte probablement à de telles pratiques le loup étant un animal totem privilégié.

Une théorie fascinante avancée par le psychologue Robert Eisler veut que la légende du loup-garou date du temps sombre et lointain où les humains apprirent à chasser. Il est pratiquement certain que nos ancêtres étaient végétariens et qu'ils ne sont devenus chasseurs que tard dans leur développement. Il est probable que le passage du régime végétarien au régime carnivore soit dû à un changement d'environnement naturel : une glaciation. La nourriture végétale abondante disparut avec l'avance des glaciers, et la chasse, activité sanglante, violente, haineuse, devint nécessaire. Les premiers hommes ont-ils réagi à ce processus comme à un traumatisme ?

Quand les hommes ont été contraints par les circonstances à adopter la pratique de la chasse — la loi des loups —, ils se sont trouvés en compétition avec cet animal. Les hommes comme les loups se jetaient sur les troupeaux de rennes, et ils éprouvèrent petit à petit un respect mutuel pour les talents et les méthodes de l'autre chasseur. Les chamans ont fini — c'était inévitable — par souhaiter s'octroyer le pouvoir des loups grâce à des pratiques de magie imitative. Ces cérémonies rituelles visaient à transformer symboliquement le chaman en un loup, afin de s'approprier le précieux savoir-faire de cet animal. Les rapports entre les hommes et les loups ont eu des effets dans l'autre sens aussi. Les loups suivaient les camps des hommes et ramassaient leurs restes. C'est ainsi que le chien a d'abord été une variété domestiquée de loup. Le loup est devenu l'emblème du mode de vie carnivore, dans lequel nos ancêtres végétariens ont été plongés. Si le loup, dans ses relations avec ses congénères est un des animaux les plus doux et les plus affectueux, il est, envers les hommes, le symbole de la cruauté. C'est pour se retrouver en compagnie du loup — en compétition avec lui ou en coopération avec lui (lors de la chasse avec les chiens) — que l'homme fut déchu de la grâce divine. Ce moment épique est gravé dans la mémoire humaine.

Nos ancêtres n'ont pu manquer de remarquer les relations privilégiées unissant les loups et la lune. Les hommes poursuivant les hordes sauvages devaient constamment entendre la sérénade des loups hurlant à la lune. Dans la grande clarté de la pleine lune, les loups hurlaient pour communiquer entre eux avant de se rassembler pour chasser. La lumière de la lune est un grand avantage pour ce maraudeur nocturne et l'homme apprit vite à imiter son rival aux dents acérées. (Un de mes amis qui vit dans le Nord m'a raconté que son chien, qui ressemble à un loup, avait l'habitude de s'échapper pour chasser les nuits de clair de lune et qu'il ne rentrait jamais avant l'aube — épuisé mais heureux.)

La lycanthropie, liée à cette activité vitale : la chasse, était une pratique magique respectée. Comment se fait-il que le loup-garou devint, dans l'opinion populaire, une créature terrifiante, un monstre surnaturel? Après un autre changement de climat, le retrait des glaciers et, en conséquence, le développement de l'agriculture, l'importance du chasseur dans l'économie diminua. La domestication du bétail suivit celle du chien, qui fut alors

25

employé pour garder les troupeaux. L'homme avait pris goût à la viande et pouvait satisfaire ce plaisir sans chasser. Le loup devint un fléau, un brigand, volant le bétail du fermier et du nomade.

Le loup-garou perdit son importance culturelle en tant que symbole des moyens de survie. Robert Graves a écrit que les bergers de l'ancienne Arcadie, qui gardaient les animaux domestiques, accordaient au loup-garou un rôle différent, plus approprié à leur mode de vie : « Selon la théorie religieuse arcadienne, un homme fut envoyé parmi les loups. Il devint loup-garou lui-même pour huit ans, pendant lesquels il parvint à convaincre les hordes de loups de laisser en paix les troupeaux et les enfants des hommes. » Ce rôle fut bientôt oublié. Le loup devint l'ennemi de la civilisation et le loup-garou fut banni de la société. Le loup-garou est l'archétype du monstre, épouvantable et pourtant pathétique. Il nous rappelle que l'homme a été déchu de la grâce. Il se souvient trop bien, quand il ressent l'attraction de la pleine lune, du traumatisme sanglant des premiers chasseurs.

Considérons maintenant le loup-garou et la réalité. Certains individus psychotiques se prennent pour des loups, agissent avec agressivité et sauvagerie, déchiquetant de la viande crue, délirant, évitant tout contact humain, méprisant tout confort personnel, toute protection contre les éléments. Il n'est pas rare de lire des rapports décrivant de semblables conduites. On peut trouver un cas de lycanthropie dans la revue de psychiatrie *American Journal of Psychiatry*. A chaque pleine lune, une femme mariée, âgée de quarante-neuf ans, devenait psychotique, se prenait pour un loup et agissait comme tel. Dans ces moments-là, elle éprouvait de violents désirs homosexuels, une grande excitation sexuelle, d'irrésistibles pulsions zoophiles, des désirs de masturbation, amenant, dans son esprit, l'illusion d'une métamorphose : elle croyait être un loup. (Les médecins ont conclu qu'il fallait considérer ce syndrome non pas comme une entité pathologique, mais comme un symptôme complexe.)

En France, il existe bien des légendes sur des hommes qui, les nuits sans lune, ont le pouvoir d'attirer des hordes de loups et de devenir leur chef. Ceux qui ont étudié la conduite des chiens sauvages savent bien qu'il est possible de faire accepter un homme à la tête d'une horde. Certaines personnes ont élevé des hordes de loups.

Dans le cas du malade qui se prend pour un loup-garou, il est évident que ces violents troubles psychotiques contiennent d'autres composantes émotionnelles que le sadisme. Cet individu se met lui-même à l'écart de la société des hommes et en souffre énormément. Il s'autopunit pour une faute imaginaire. Dans une optique historico-culturelle, cet individu pâtit du sentiment de culpabilité collective de la race humaine.

On comprend facilement le lien traditionnel existant entre l'activité du loup-garou et la lune, en pensant à l'amour du loup pour la lune. Mais cette relation n'en demeure pas moins mystérieuse. Mes recherches sur les rythmes lunaires et les agressions des hommes ne font que confirmer cette relation. Elles aident à comprendre pourquoi la légende du loup-garou est si persistante dans l'imagination humaine.

Les sadiques modernes n'ont pas hésité à exploiter la légende du loup-garou et son étrange pouvoir. En Allemagne, où elle était très répandue, des terroristes nazis ont créé, dans les années 1920, une « organisation loup-garou » : (Est-ce un simple détail anecdotique si le surnom d'Hitler était « loup ».) A la fin de la Seconde Guerre mondiale, l'organisation loup-garou était censée devoir poursuivre — sous forme de guérilla — la lutte contre les alliés occupant l'Allemagne. Cependant, ses membres avaient déjà beaucoup de mal à protéger leur vie. Dans l'idéologie nazie, la régression historique était un thème essentiel, et le retour au mode de vie archaïque et violent du loup-garou convenait parfaitement pour symboliser la monstruosité du régime fasciste.

Le loup-garou n'est en aucun cas le seul criminel inspiré par la lune. Le cas de Charles Hyde est bien connu et typique dans ce domaine. Cet ouvrier anglais servit de modèle au double personnage de Jekyll et Hyde créé par Robert Louis Stevenson. Hyde était poussé à commettre des crimes qui ne lui seraient jamais venus à l'esprit « normalement », à la fois par la nouvelle lune et la pleine lune. Lors de son jugement, Hyde prétendit, pour se défendre, qu'à cause de sa folie il n'était pas responsable de ses crimes. Ce système de défense, basé sur la folie lunaire, fut vain. Il fut condamné à la prison en 1854. De nos jours comme alors, les crimes commis sous l'action de la lune ne sont pas excusables.

Les spéculations sur le thème Jekyll-Hyde sont fascinantes. Le Dr E. A. Janino de Lynn dans le Massachusetts émit cette hypothèse selon laquelle Jack l'Éventreur et l'étrangleur de Boston seraient de vrais fous, poussés à des actes de sauvagerie sous l'influence de la lune. Le tueur démoniaque de New York : le « fils de Sam », a tué huit fois de nuit. Sur ces huit nuits, cinq d'entre elles étaient des nuits de pleine lune ou de nouvelle lune. Sarah Moore a tiré sur le Président Ford pendant une nuit de pleine lune. L'Armée de libération symbionèse a kidnappé Patricia Hearst lors de la pleine lune. Au cours de l'année qui s'est terminée en avril 1977, il y eut neuf suicides du haut du pont de San Francisco, le Golden Gate, durant des périodes de pleine lune. C'est pendant la pleine lune, en août 1977, qu'un tireur isolé a abattu six personnes à Kackettston, dans le New Jersey, avant de se suicider. En janvier 1978, un homme de Rockford,

Illinois, fut accusé d'avoir tué ses six enfants durant la pleine lune.

D'après les spécialistes de l'hôpital Albert Einstein de New York, les névrosés n'ont pas l'air d'être fortement affectés par la lune. Son influence semble s'exercer essentiellement sur ceux que l'on peut plus exactement qualifier de « lunatiques ». Bien entendu, les gens normaux observent souvent, eux aussi, les étranges effets de la lune.

La lune a inspiré prophètes, philosophes, physiciens, astronomes et poètes :

Timothy Harley :

« La lune a toujours fait naître le désir magique et fou d'une plus grande connaissance. Les premières observations de la lune n'ont pas fait, dit Flammarion, moins de bruit que la découverte de l'Amérique. Beaucoup ont vu là une découverte bien plus intéressante que celle de l'Amérique, car elle se situait au-delà de la terre. »

Erica Jong :

« Très cher « homme-dans-la-lune », autrefois je craignais la lumière de la lune, je la prenais pour ma mère. »

Sylvia Plath :

« La lune... est un visage blanc comme la jointure du doigt, et très en colère. Elle entraîne la mer dans son sillage, comme un sombre méfait. »

Goethe, Faust :

« Et quand la lune claire, à l'influence apaisante, pleine devant mes yeux, s'élève au-dessus du mur des rochers et sort des sous-bois humides, les formes argentées des âges passés montent et planent vers moi, et adoucissent l'austère plaisir de la contemplation. »

Deutéronome, XXX, 14.

« Les choses précieuses révélées par la lune. »

Un éminent médecin anglais du xviiie siècle, Richard Mead, a observé l'altération de la santé de plusieurs personnes sous l'influence de la lune :

« Le cas du Dr Pitcairne est remarquable. A 9 h du matin, heure précise de la nouvelle lune, il eut une soudaine hémorragie nasale, consécutive à un évanouissement peu commun.

« Les crises d'asthme sont souvent périodiques et dépendent de la lune et du temps...

« Le savant Kirchringus raconte une conséquence encore plus inhabituelle de son pouvoir attractif. Il connaissait une jeune femme noble, dont la beauté variait selon la force de la lune. Lors de la pleine lune, elle était très belle, épanouie, mais avec la lune descendante, elle s'étiolait au point d'avoir honte de voyager à l'étranger. Jusqu'à ce que l'arrivée de la nouvelle lune rende sa plénitude à son visage et l'attirance à ses charmes. »

D'autres personnages éminents, tels Robert Boyle, Francis Bacon et Henry More, ont exprimé comme le Dr Mead leur croyance à l'influence biologique de la lune. Le père de la psychiatrie américaine, le Dr Benjamin Rush, a reconnu et étudié les rapports entre les phases de la lune et les maladies des hommes, en particulier les troubles mentaux. Tout au long de l'histoire, médecins et physiciens — Héraclite, Aristote, Paracelse, Maimonide et bien d'autres — ont observé l'existence de rapports entre le cycle lunaire et l'équilibre émotionnel et physique. Anaïs Nin a écrit : « En observant la lune, elle acquit la certitude de l'écoulement du temps, filtrant au travers de ses émotions profondes et de la multitude de ses expériences. »

Ce que nous savons sur la lune est séduisant mais insignifiant en comparaison de ce que nous ne savons pas sur elle. Que ce soit à propos de son origine ou de la façon dont elle exerce son pouvoir sur notre vie de tous les jours, la lune reste une énigme. Quand nous nous posons des questions complexes, nous ne devons pas oublier que des rapports significatifs entre certaines choses n'apparaissent pas tant que certains domaines de la connaissance ne progressent pas ensemble. Le rôle primordial des rayons cosmiques provoquant certaines mutations n'a pas pu être compris avant que l'étude de l'astrophysique et de la génétique n'ait atteint un certain développement. Des forces de connexion, apparemment trop infimes pour avoir des conséquences, peuvent se révéler être très fortes sous une forme à laquelle on ne s'attendait pas. Des forces très faibles, par exemple, peuvent servir de déclencheurs de forces plus fortes. De plus, des effets de faible intensité, agissant selon un certain rythme et entrant en résonance, peuvent atteindre une intensité considérable. (C'est en appliquant ce principe que les Hébreux, défilant au pas cadencé autour de la ville de Jéricho, firent entrer les murs en résonance et provoquèrent leur effondrement.)

Les rythmes cosmiques, faibles souvent mais réguliers et persistants, ont assurément marqué notre environnement et notre évolution. Nous ne devons pas ignorer les effets subtils de telles forces : dans bien des cas elles peuvent apparaître comme les clefs nécessaires à la compréhension des changements des plus grands phénomènes de notre vie. Il se trouve que la compréhension de l'influence de la lune est une de ces clefs. Les portes que nous voulons ouvrir donnent à l'intérieur, sur l'esprit, et à l'extérieur, sur le cosmos, vaste royaume de l'inconnu.

2

LA LUNE ET LE MEURTRE

Là est l'erreur de la lune.
Elle s'approche plus que de coutume de la terre, et rend les
hommes fous.

Othello, SHAKESPEARE.

La perspicacité psychologique de Shakespeare et sa connaissance des motivations humaines rendent ses personnages éternels et assurent leur survie littéraire. La violence irrationnelle d'Othello, liée à « l'erreur de la lune », est le reflet d'une croyance populaire du temps de Shakespeare et annonce notre intérêt actuel pour l'influence de la lune sur les agressions humaines. Nous disposons maintenant d'une information considérable sur l'influence de la lune mais elle est, malgré tout, en grande partie subjective et s'appuie sur des études menées à la hâte et sans grande méthodologie scientifique.

La police et le corps des pompiers sont maintenant

convaincus de l'existence de rapports entre la lune et la violence et de nombreux faits répertoriés appuient leurs conclusions. Le service des enquêtes sur les incendies de la ville de New York affirme que le nombre des incendies volontaires augmente de 100 p. 100 lors de la pleine lune. La police de Philadelphie note aussi une élévation du nombre des crimes contre les personnes et des incendies volontaires lors de la pleine lune. Les polices de Los Angeles et de Miami font les mêmes remarques. Manuel Benitez, responsable des enquêtes sur les incendies à Phoenix, rapporte que les appels téléphoniques pour les pompiers sont 25 à 30 fois plus nombreux en moyenne les nuits de pleine lune.

Dans la mesure où ces rapports ne s'appuient pas sur des enquêtes menées assez rigoureusement, ils ne constituent pas des preuves statistiques. Pour s'approcher de la vérité, il faut s'attaquer à des données résultant de statistiques. Ceci nécessite un travail sérieux de recherche scientifique.

C'est à partir d'observations personnelles — comme bien des gens ont pu en faire — que je me suis intéressé à l'influence de la lune. Cela remonte à l'époque où je faisais — en qualité d'étudiant en médecine — un stage à l'hôpital Jackson Memorial de Miami. Travaillant dans le service des malades mentaux, ma curiosité fut attirée par la récurrence de faits particuliers... J'avais remarqué que, régulièrement, il y avait des périodes durant lesquelles le comportement des patients était plus perturbé que d'ordinaire. Ces troubles duraient quelques jours seulement et se produisaient sans aucune raison apparente. Les malades se calmaient aussitôt après et le travail dans ce service reprenait alors son rythme routinier. Je ne pus m'empêcher de me poser des questions sur cette agitation périodique. Si les circonstances m'empêchèrent de faire alors quoi que ce soit visant à satisfaire ma curiosité, ces questions n'ont cessé de me hanter dans les années qui ont suivi.

Après quatre ans passés dans l'armée de l'Air américaine, comme chirurgien, je décidai en 1969 de passer l'internat de psychiatrie. Le comportement humain devint mon centre d'intérêt principal. De retour dans les services des malades mentaux des hôpitaux, je ne tardai pas à constater, à nouveau, l'existence de ces mystérieuses périodes de troubles inhabituels. Cette fois-ci j'étais décidé à en trouver la cause. Enquêtant auprès du personnel hospitalier, je découvris que pour les infirmier(e)s et les aides-soignant(e)s, ces faits étaient familiers. Sur un ton de plaisanterie, ils attribuaient ces débordements du comportement à la pleine lune. N'osant pas les croire complètement, j'interrogeai le personnel des urgences. Ils me dirent avoir remarqué ces périodes d'agitation et de comportements bizarres chez les patients, lors de la pleine lune. Les réponses des policiers et des ambulanciers confirmaient ces dires.

J'en parlai un jour, après bien des hésitations, avec des médecins résidents de l'hôpital. Ils me dirent qu'il existait des périodes de recrudescence des ulcères et des crises d'épilepsie et que le personnel hospitalier les attribuait à la pleine lune.

Je me demandai s'il fallait prendre ces spéculations au sérieux. Après un moment, je fus convaincu que ces gens ayant des années d'expérience disaient cela avec le plus grand sérieux. Comment le dire autrement? Ils avaient trop souvent observé la coïncidence entre la pleine lune et la bizarrerie de ces comportements pour la nier.

Je commençai mon enquête en concentrant mes efforts sur l'étude des services de psychiatrie. Des changements sociaux pouvaient-ils expliquer ces troubles périodiques? Je me dis que les permutations d'équipes du personnel, l'admission de patients particulièrement perturbateurs et même les variations d'intempéries pouvaient bien expliquer de tels bouleversements du comportement. Mais rien de cela n'expliquait le retour régulier de ces périodes. Se pouvait-il que les employés chevronnés que j'avais interrogés fussent dans le vrai? Etait-ce bien, en fait, la pleine lune qui déclenchait ces manifestations mystérieuses? Si oui, comment?

Cela me parut mériter des recherches plus approfondies, même au risque de m'attirer la dérision de mes collègues. Je devins franchement curieux et déterminé. « Je vais bien voir si c'est de la blague, ou s'il y a du vrai dans tout cela. » Il me paraissait évident que si mes découvertes étaient positives, elles apporteraient une contribution importante aux problèmes de santé. Par exemple, les hôpitaux pourraient augmenter le personnel des services d'urgence en psychiatrie au moment des périodes de pointe.

C'est ainsi que j'entrepris une étude extensive des phases de la lune comme facteur éventuel de la violence du comportement.

Dans le département psychiatrie de la faculté de médecine à l'université de Miami, tout projet de recherche devait être sanctionné par le président de l'université. Pour la plupart des scientifiques, toute étude concernant les superstitions scientifiques, le folklore et la mythologie passe pour une pure perte de temps. J'entrepris une revue complète de toute la littérature scientifique, afin de trouver tout ce qui avait été fait sur l'existence d'éventuels effets de la lune sur le comportement humain. Je découvris plusieurs études publiées dans la première moitié de ce siècle. Les résultats positifs et négatifs étaient également partagés.

Cette répartition — étonnamment égale — était due à un procédé d'édition. Chaque fois qu'un article montrait une corrélation positive entre le comportement humain et le cycle lunaire, il était immédiatement suivi par un autre article récusant le premier. Ceci fut une première indication du caractère brûlant du problème scientifique auquel je m'attaquais. Une étude critique d'un grand nombre de ces articles fit apparaître des insuffisances au niveau méthodologique. Il était clair que des preuves irréfutables seraient nécessaires pour convaincre les sceptiques. Cela me convenait.

Je savais qu'en étudiant les influences de la lune, je m'attaquais à des « effets minimes » plutôt qu'à des différences bien visibles, bien nettement dégagées. Cela signifiait que je me préparais à répertorier une quantité prodigieuse de données exactes, sur une longue période de temps. Si je voulais parvenir à mettre en évidence des corrélations significatives, il était indispensable de sélectionner soigneusement une collection de comportements violents. De plus, il fallait trouver le moyen de convertir les dates du calendrier solaire en dates établies en fonction de la lune. Des études antérieures avaient utilisé des techniques de conversion très sommaires. Heureusement, quand j'entrepris cette étude, en 1970, la technologie moderne et les ordinateurs facilitèrent et assurèrent toutes ces conversions.

J'ai cherché une variable susceptible de m'aider à mesurer le comportement violent humain. J'avais besoin de quelque chose de facile à quantifier et à traiter par ordinateur. Pour tirer quelque chose des informations relevées, j'avais besoin d'une approche statistique directe, capable d'évaluer les découvertes.

Alors que je méditais sur ces impératifs préliminaires, je tombai par hasard sur un article du *Herald* de Miami annonçant un travail de recherches effectuées par des météorologistes de l'université de Miami, qui démontraient l'influence de la lune sur la formation des orages tropicaux et des ouragans. Les recherches avaient été faites à une échelle mondiale. Intrigué, je contactai un de ces chercheurs : Ronald Holle, et il me fit entrer dans le monde de la météorologie. Les météorologistes possèdent, pour appuyer leurs travaux, des relevés précis qui remontent très loin dans le temps. Ils soupçonnent depuis longtemps la lune d'influer sur le temps, et disposent maintenant d'un procédé simple qui leur permet de mesurer et d'évaluer les données atmosphériques locales en fonction du temps lunaire. C'est ce procédé qui fut adopté et utilisé par mon équipe de chercheurs. (J'ai aussi appris que la météorologie avait étudié à fond le problème des marées atmosphériques influant sur le niveau des précipitations et la formation des orages.)

A l'université de Miami, à l'étage au-dessus de celui des laboratoires métérologiques, se tient le département de physique. M. Holle me présenta le Dr Douglas Duke, professeur de physique et d'astronomie, qui s'intéressa immédiatement à mes idées sur les effets de la lune sur le comportement humain. Il accepta volontiers de me guider et de me donner des connaissances de base en matière d'astronomie moderne. Ses suggestions, ainsi que celles de M. Holle, de Tom Carpenter du service de l'administration des problèmes océaniques et atmosphériques nationaux à Washington, ont été pour moi une aide précieuse me permettant de formuler une approche sommaire de mes recherches.

Je soumis mon projet au Dr James N. Sussex, président du département psychiatrie à l'université de Miami. Il était conscient des préjugés qui existaient contre toutes recherches sur les influences de la lune sur le comportement humain. L'apparition de son nom associé à un tel sujet risquait même de ternir sa réputation. Pourtant, il comprit le potentiel éventuel de bénéfices que contiendraient des résultats scientifiquement valables. Le Dr Sussex ne m'apporta pas seulement son appui et ses encouragements, il avança même les fonds nécessaires au lancement du projet, pris sur le budget de recherche de son propre département. Sans son aide, mes recherches n'auraient jamais pu se concrétiser.

C'est ainsi que, soutenu moralement et financièrement, j'entrepris mes recherches avec vigueur. Je devais trouver une variable me permettant de mesurer toute perturbation émotionnelle. S'il est vrai qu'on associe la lune à l'amour, à la violence aussi, aux pensées sanguinaires, aux troubles de l'émotion, comment quantifier des données aussi variées? Je me heurtai à la diversité et la complexité du comportement humain en général, sans parler des nombreuses variantes individuelles. Le comportement humain est complexe et confus considéré dans son ensemble, mais les événements bizarres ont tendance à rester marqués dans les mémoires.

Il n'existe pas de moyen qualitatif adéquat, capable de mesurer le comportement humain. Les psychologues qui font des expériences utilisent un grand nombre d'échelles de mesures adaptables au comportement humain. Ces échelles sont fonction des préjugés des chercheurs qui les conçoivent, des observateurs et interprètes qui les utilisent. Je ne leur fais pas confiance. Si un observateur recherche un certain type de comportement, il est fort probable qu'il le trouvera. C'est aussi simple que cela. J'ai donc décidé à l'avance d'éviter tous les préjugés des chercheurs.

Je fis équipe avec le Dr Carolyn Sherin, psychologue médicale spécialisée dans l'application des méthodes statistiques. Après bien des recherches et des discussions, le Dr Sherin et moi-même avons décidé de prendre l'homicide comme variable afin de mesurer le comportement violent. Le meurtre est un acte violent. Il est, dans la plupart des cas, facile à situer dans le temps. Sa définition médicale et légale est universellement acceptée. Il n'était pas nécessaire de différencier un type d'homicide d'un autre, ce qui aurait été source de parti pris. Ce qu'il nous suffisait de connaître était s'il y avait eu meurtre et à quel moment exact.

Le problème de la datation était essentiel dans notre recherche. Il nous fallait connaître le moment précis du coup fatal — celui de la mort ne nous importait pas. La victime pouvait en effet mourir des heures, des jours ou même des semaines après la blessure mortelle. Le moment exact du coup fatal renvoie à celui de l'attaque et constitue la variable critique intervenant dans la datation précise de l'acte violent.

Nous avons eu la chance de mener nos recherches à Miami. Le Dr Joseph H. Davis, médecin légiste du district de Dade à Miami, jouit d'une réputation nationale pour la minutie et la précision de ses méthodes de travail. Il consigne, chaque fois qu'il est possible, l'heure de la blessure, et l'heure de la mort dans tous les cas de mort violente. De plus, ses rapports sont traités par ordinateurs et utilisables immédiatement. Ce matériel de travail merveilleusement organisé se trouvait littéralement à deux pas de chez nous, les bureaux du Dr Davis étant situés dans l'hôpital où je travaillais.

J'insiste bien : le moment où le coup a été donné est de la plus extrême importance. Le temps écoulé entre la blessure et la mort, ainsi que la définition exacte de la cause de la mort ne concernaient pas nos recherches. C'est l'attaque et la blessure qui situent dans le temps le bouleversement émotionnel violent que nous cherchions à mesurer.

Cette nécessité impérative de connaître le moment de la blessure, si elle contribua à la simplicité et à la véracité de notre étude, ne nous facilita pas la tâche, quand il devint nécessaire de faire les mêmes recherches dans d'autres villes.

C'est dans un souci de plus grande validité que nous avons voulu étendre le champ de notre enquête aux homicides de la ville de New York.

Près de dix fois plus de crimes sont commis dans cette ville. Et l'on pouvait s'attendre à ce que les rapports sur les homicides dans la plus grande ville du pays soient complets.

Hélas, avec New York, on ne doit s'attendre à rien. La date exacte des homicides n'est pas répertoriée. Nous avons dû chercher ailleurs des données aussi précises que celles du district de Dade. Nous les avons trouvées à Cleveland (Ohio) dans le district de Cuyahoga.

Après avoir éliminé les homicides dont nous ne connaissions pas avec précision la date de la blessure mortelle, nous nous trouvions devant 1 887 cas à Dade couvrant une période de quinze ans et 2 008 cas à Cuyahoga s'étendant sur treize ans. Ces deux échantillons étaient plus que suffisants.

Cherchant à mettre en évidence une influence de la lune sur le comportement humain, nous pensions que de tels effets, s'ils existaient, seraient minimes. Nous nous attendions à avoir besoin de beaucoup de données précises. Je pense que si de nombreuses études n'ont pas donné de résultats convaincants, c'est qu'elles ont utilisé un échantillonnage insuffisant ou une période de temps trop courte.

Nous avons ensuite entrepris de convertir toutes les dates de notre échantillonnage en temps lunaire. Cette conversion était absolument nécessaire si l'on voulait éviter toute contamination par les périodicités sociales connues, propres au rythme humain. Ces périodicités — vacances, week-ends, excitation du samedi soir, morosité du lundi matin, allégresse du jour de la paie, etc. — sont celles de notre calendrier solaire. Si nous avions agencé nos données en fonction du calendrier solaire, ces périodicités sociales seraient ressorties nettement; et elles auraient masqué les effets plus subtils existant dans notre environnement naturel, en particulier les rythmes purement lunaires. Nos informations

41

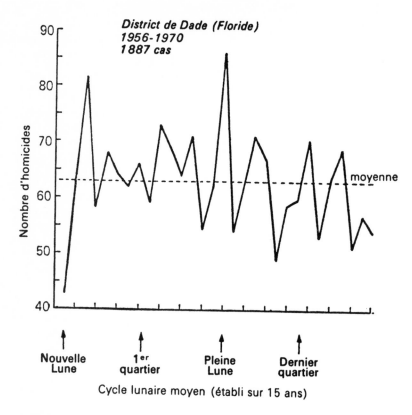

FRÉQUENCE DES HOMICIDES
EN FONCTION DU CYCLE SYNODIQUE LUNAIRE

District de Dade (Floride)
1956-1970
1887 cas

Nombre d'homicides

moyenne

Nouvelle
Lune

1ᵉʳ
quartier

Pleine
Lune

Dernier
quartier

Cycle lunaire moyen (établi sur 15 ans)

Courbe des homicides dans le district de Dade (Floride) sur une période de 15 ans, tracée en fonction du cycle synodique lunaire.

devaient nécessairement être indépendantes du temps solaire.

Les météorologistes sont venus à notre secours. Ils utilisent un calendrier appelé « échelle décimale synodique lunaire ». Ce calendrier lunaire ne tient pas compte bien sûr du lever et du coucher du soleil (ou selon Buckminster Fuller, du fait que le soleil est

42

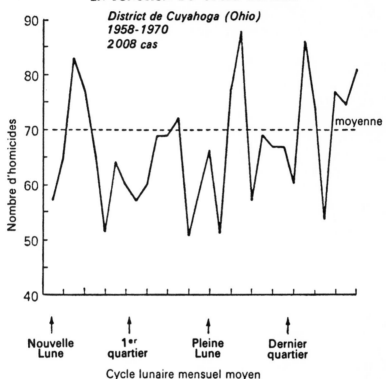

FRÉQUENCE DES HOMICIDES
EN FONCTION DU CYCLE LUNAIRE

District de Cuyahoga (Ohio)
1958-1970
2 008 cas

Courbe des homicides dans le district de Cuyahoga (Ohio), sur une période de 13 ans, tracée en fonction du cycle synodique lunaire.

visible ou invisible). En utilisant un calendrier lunaire nous éliminions toutes confusions possibles.

Les homicides ont été représentés sur un graphique en fonction du calendrier lunaire. Ceci nous a fourni une représentation graphique de la fréquence des meurtres en fonction du cycle lunaire. Mais la courbe n'a pas été utilisée comme preuve statistique. Pour établir une preuve nous avons eu recours à une méthode statistique plus rigoureuse. Nous avons compté le nombre de

43

meurtres ayant eu lieu 72, 48 et 24 heures avant et après chaque phase de lune. Le nombre d'homicides apparaissant dans ces « fenêtres de temps » fut rapproché du nombre de meurtres auxquels on pouvait s'attendre par hasard.

Les résultats furent ahurissants. La courbe des homicides du district de Dade montra une coïncidence surprenante avec les différentes phases du cycle lunaire. *Le nombre des homicides culminait lors de la pleine lune.* La courbe présentait une dépression à l'approche de la nouvelle lune et une culmination secondaire immédiatement après la nouvelle lune.

On sait depuis Kepler que l'attraction de la lune est à son maximum lors de la nouvelle et de la pleine lune. Nos résultats indiquaient que le nombre des meurtres augmentait en même temps que la force de gravitation de la lune. La signification des points culminants de la courbe dépassait ce à quoi l'on pouvait s'attendre. Par simple hasard, nous avions prouvé statistiquement qu'il y avait effectivement un rapport entre les phases de la lune et les meurtres. Nous avions démontré ce rapport sans pour autant établir s'il y avait une relation de cause à effet.

Nos résultats nous ont encouragés à aller plus avant. Quand la courbe des homicides du district de Cuyahoga fut tracée, elle était semblable à celle du district de Dade mais ses points culminants étaient décalés vers la droite. C'est-à-dire qu'ils étaient situés plus tard dans le temps que ceux de Dade. Ils ne coïncidaient pas avec la pleine et la nouvelle lune. Le décalage était d'environ trois jours après ces deux phases.

Le caractère mitigé de nos résultats posait des questions intrigantes. Les résultats de Cuyahoga ne parvenaient pas à confirmer le graphique surprenant, donné par les informations provenant du district de

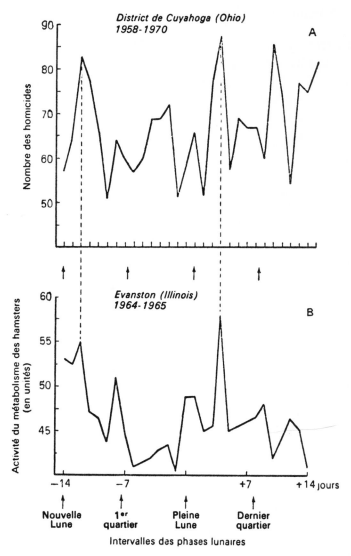

District de Cuyahoga (Ohio)
1958-1970

A

Nombre des homicides

Evanston (Illinois)
1964-1965

B

Activité du métabolisme des hamsters (en unités)

−14   −7   +7   +14 jours

Nouvelle
Lune

1er
quartier

Pleine
Lune

Dernier
quartier

Intervalles des phases lunaires

Comparaison de graphiques : (A) Courbe des homicides du district de Cuyahoga et (B) Courbe de l'activité des hamsters du professeur Frank Brown, établie à Evanston (Illinois). Cleveland se trouve à une latitude de 41,30° Nord et à une longitude de 81,41° Ouest. Evanston est à une latitude de 42,02° Nord et à une longitude de 87,41° Ouest. On remarquera l'étrange coïncidence entre les culminations et le cycle synodique lunaire.

Dade. Mais pourtant les courbes présentaient une singulière ressemblance, un rapport caché. Le décalage vers la droite des points culminants correspondait-il à un retard des effets de la lune dû aux différentes situations géographiques des lieux ?

Nous savons que les marées océaniques, sous l'influence de la lune, varient d'un endroit à un autre : variation des horaires des marées, mais aussi de leur amplitude, en fonction de la latitude. Près de l'équateur, la différence entre la marée haute et la marée basse se mesure en centimètres, tandis que près des pôles l'amplitude des marées est de l'ordre de 15 minutes ou plus. Nous nous sommes interrogés sur les effets dans le temps, de la latitude sur les cycles lunaires.

En matière d'observation météorologique et d'étude animale, on sait bien que les effets de la lune varient géographiquement. Les études du Dr Frank A. Brown Jr., pionnier dans l'étude des rythmes biologiques, ont contribué à résoudre notre énigme.

Le Dr Brown étudie les effets des cycles cosmiques sur la vie de certaines plantes et de certains animaux dans son laboratoire de l'université du Nord-Ouest à Evanston, dans l'Illinois. Il a découvert une périodicité lunaire présidant à l'activité métabolique des hamsters. Le rapprochement des deux courbes, celle de l'activité des hamsters et celle des phases de la lune, a mis en évidence, pratiquement, le même décalage des points culminants que celui constaté sur la courbe des homicides du district de Cuyahoga : les hamsters faisaient tourner leurs petits manèges à Evanston — par 42° de latitude Nord, près de Cleveland situé à 41,30° de latitude Nord. Cette corrélation nous a conduits à émettre l'hypothèse suivante : la lune a des effets similaires sur l'activité des hommes et des animaux à des latitudes semblables.

Comment expliquer ces comparaisons étonnantes ?

46

Comment la lune pouvait-elle provoquer des changements périodiques dans le comportement?

C'est pour répondre à ces questions que j'ai émis et développé la théorie des marées biologiques. Cette théorie se situe dans une double perspective. D'abord elle vise à expliquer l'action directe de l'attraction gravitationnelle de la lune sur tout organisme vivant. Ensuite, elle vise à décrire les effets indirects de la lune *par l'intermédiaire* du champ électromagnétique terrestre.

La théorie des marées biologiques développée au chapitre 9 a pour but de faciliter la connaissance de la nature humaine en rapport avec son environnement naturel. On doit maintenant admettre que le système solaire — l'univers tout entier — fait partie de notre environnement naturel.

Pour simplifier, on peut considérer l'être humain comme un microcosme constitué essentiellement des mêmes éléments que la surface de la terre et dans les mêmes proportions. Cette harmonie renvoie aux philosophies et aux religions anciennes qui voyaient dans l'homme le reflet du cosmos. Les données scientifiques que nous trouvons sont étrangement parallèles aux conceptions historiques. Comme la surface de la terre, l'homme est formé pour 80 p. 100 d'eau et pour 20 p. 100 de solides. Je crois que la force gravitationnelle de la lune — agissant en même temps que les autres forces de l'univers — exerce son action sur l'eau du corps humain — de votre corps et du mien — comme elle le fait sur les océans de la planète. La vie est faite de marées hautes et de marées basses, gouvernées par la lune. Lors de la pleine lune et de la nouvelle lune, les marées sont à leur maximum et c'est alors que les effets de la lune sur notre comportement sont les plus forts.

L'eau du corps est répartie en trois compartiments. Il y a l'eau contenue dans le sang, l'eau intravasculaire —

dont la composition est à peu près la même que celle de l'eau de mer —, il y a l'eau contenue dans les tissus, baignant les cellules — c'est l'eau extracellulaire —, et il y a l'eau contenue dans les cellules elles-mêmes, c'est l'eau intracellulaire. L'eau circule librement d'un compartiment à l'autre. Quand nous buvons de l'eau, nous nous remplissons d'eau. Nous éliminons de l'eau pour maintenir l'équilibre et pour ne pas gonfler. Cependant, le processus qui maintient l'équilibre des fluides du corps humain peut s'arrêter brusquement. Toutes variations des processus vitaux peuvent avoir pour conséquence une augmentation de la quantité d'eau du corps, que ce soit l'eau intravasculaire, intracellulaire ou extracellulaire. Si le processus d'élimination des liquides s'arrête, même pour un court instant, l'eau du corps s'accumule et surcharge l'organisme. *Ceci est capable de modifier la personnalité de l'individu.* Si le corps contient de l'eau en excès, cela provoque une tension des tissus, un gonflement et une irritabilité nerveuse.

Quand l'attraction gravitationnelle de la lune bouleverse l'équilibre des fluides de notre corps, nous sommes tendus et susceptibles de débordements émotionnels. Le syndrome de tension prémenstruelle est un exemple familier de l'effet que l'accumulation d'eau dans le corps peut avoir sur notre système nerveux et notre comportement. Les sautes d'humeur, une irritabilité accrue sont des manifestations bien connues de ce syndrome qui peut servir d'exemple de marée haute dans notre corps. Dans la période prémenstruelle, le nombre des femmes internées, hospitalisées ou écrouées, augmente.

Lorsque la marée biologique est à son plein, la machine humaine est en tension. Il importe de remarquer que ces marées biologiques ne *causent* pas des comportements bizarres. Elles les rendent plus probables chez les personnes ayant déjà des tendances violentes. Les marées biologiques agissent comme un détonateur, déclenchant des débordements irrationnels. Les forces cosmiques agissent souvent de manière subtile. Dans certains cas, elles libèrent une énergie d'une amplitude inattendue. Nous avons donc appris que dans certains cas les individus pouvaient être soumis à un tel déclenchement sous l'influence d'une marée biologique lunaire.

Nos premières découvertes ont été publiées dans le numéro de juillet 1972 de la revue de psychiatrie *American Journal of Psychiatry*. Les médias se sont emparés de nos résultats, les ont disséminés dans le pays et à l'étranger. Comme on pouvait s'y attendre, les réactions du public ont été enthousiastes. Après tout, notre étude confirmait l'expérience de chacun. J'ai reçu de nombreuses lettres me faisant part de nombreuses anecdotes sur la lune. Les spécialistes réagirent avec intérêt et curiosité. Nombreux furent ceux qui voulurent se lancer dans de semblables recherches afin d'approfondir nos découvertes. Notre sujet, si controversé, devint un sujet de thèse de doctorat.

Dans les milieux scientifiques au plus haut niveau, notre étude fut accueillie avec un certain scepticisme et nous nous attendions à ce qu'une étude vienne inévitablement réfuter nos découvertes. Nous avons dû attendre deux ans : Alex D. Pokorny, et Joseph Jachimczyk, docteurs en médecine, ont publié en juillet 1974, dans la même revue, *American Journal of Psychiatry,* un article intitulé « Rapports contestables entre les homicides et le cycle lunaire », basé sur les statistiques de Houston dans le Texas. Parce qu'ils furent incapables de mettre en évidence une périodicité lunaire dans leurs données, les auteurs aboutirent à la conclusion suivante : « L'action de la lune sur les homicides, les suicides ou les troubles mentaux, relève du mythe. »

En reprenant leurs travaux, j'ai découvert que les Drs Pokorny et Jachimczyk ont utilisé une variation inappropriée : le moment de la mort. Ils ont fait ce choix sciemment, car dans 85 p. 100 des cas, les victimes de la région de Houston sont mortes dans l'heure qui a suivi le coup fatal. Cela représente quand même une probabilité d'erreur de l'ordre de 15 p. 100 orientée dans le temps de la même façon (la mort survient invariablement après la blessure). N'importe quel statisticien confirmera qu'un tel pourcentage d'erreurs endommage considérablement les résultats d'une enquête visant à détecter des effets subtils.

Afin de dénoncer une fois pour toutes l'erreur qui consiste à prendre comme variable le moment de la mort, nous avons repris notre étude sur les données du district de Dade. Nous avons pris le moment de la mort comme base de mesure et non pas celui de la blessure fatale. Nous avons repris de la même manière les données de Cuyahoga, en y ajoutant 10 000 cas d'homicides relevés à New York, répertoriés avec l'heure de la mort. Dans chacune de ces trois études, rien de signifiant n'est apparu. En d'autres termes, les attaques violentes se produisent selon une périodicité lunaire, mais les décès, eux, surviennent au hasard, tout au long du cycle lunaire.

L'affirmation de Pokorny et Jachimczyk selon laquelle le cycle lunaire n'a aucun rapport avec le nombre des homicides n'est donc pas étonnante. Plus souvent qu'il n'y paraît, les scientifiques se servent de leurs recherches pour étayer leurs opinions personnelles, au lieu d'étudier les phénomènes d'une manière objective. C'est ainsi que de nombreux travaux sont entrepris qui utilisent des variables impropres, un échantillonnage inadéquat ou de mauvaises périodicités. De tels travaux servent uniquement à alimenter les controverses ou à entraver tout progrès allant dans le sens de la résolution de problèmes scientifiques urgents. Il est clair que de nombreux préjugés s'opposent à ce que l'on démontre l'influence de la lune dans notre vie quotidienne. Pourquoi ces préjugés tenaces? La science s'est toujours opposée à l'acceptation des superstitions. Cependant, cette attitude s'est confondue pour certains en un refus d'examiner toute croyance « non scientifique ». Une crainte inconsciente du pouvoir de toute superstition sur les esprits se cache peut-être derrière ce refus. Les savants devraient être capables maintenant de faire la différence entre enquêter sur une croyance et accepter cette croyance en toute crédulité.

Le domaine culturel de la lune, avec ses traditions poétiques et mythiques, ne plaît pas aux esprits rationalistes. Cependant, nous ne pouvons plus nous cacher la tête sous l'aile. La lune ne va pas disparaître. Son pouvoir ne va pas cesser soudain de s'exercer sur notre vie.

Les préjugés ont aussi une autre raison. Le scepticisme qui entoure toute idée concernant une influence lunaire sur le comportement humain vient de ce que la science occidentale s'est enfermée dans la temporalité solaire. Toute étude sur le comportement est basée sur le calendrier mensuel et les 24 heures qui rythment notre vie (le calendrier grégorien est un calendrier solaire). L'orientation temporelle de notre vie étant solaire de nature, elle masque toute éventuelle influence lunaire par simple ignorance d'un temps d'origine lunaire.

Le temps lunaire est déphasé par rapport au temps solaire. Le jour lunaire dure 50 minutes de plus que le jour solaire. Cela signifie qu'un événement se produisant aujourd'hui à 8 heures du matin selon le temps lunaire, se produira à 8 h 50 demain matin et à 9 h 40 le lendemain et ainsi de suite.

Mon travail démontre l'existence d'un rythme biologique dans les agressions humaines. Une autre recherche met en évidence un rythme biologique dans la sexualité humaine. Ces deux rythmes, on l'a démontré, sont en harmonie avec le cycle lunaire. Puisque l'agression et la sexualité sont des pulsions fondamentales caractéristiques du comportement animal et humain, nous pouvons en conclure que bien des aspects du comportement renvoient aux effets conjugués du temps solaire et du temps lunaire. Si la science académique accepte ces prémices, un grand nombre de recherches antérieures se trouveront invalidées pour la simple raison qu'une variable essentielle — le temps lunaire — s'était trouvée négligée. La science finira bien par accepter ces faits et par en tenir compte dans l'élaboration des recherches à venir.

On sait bien que les scientifiques ont eu des problèmes pour reproduire, dans différents endroits et à des moments différents, les études sur le comportement. Je suis persuadé que c'est faute d'avoir tenu compte du temps lunaire. Il est compréhensible que le savant ayant consacré de nombreuses années à des recherches sur le comportement répugne à accepter une idée qui suggère qu'il n'a pas su s'y prendre convenablement.

Dans ce cas, il n'est pas surprenant que les Drs Pokorny et Jachimczyk aient conclu que « l'action de la lune sur les homicides, les suicides ou les troubles mentaux, relève du mythe ».

Les conclusions tirées d'une seule étude utilisant une variable inadaptée, différente de celle contenue dans le travail contesté, sont irrecevables.

Une telle attitude, un tel choix des termes renvoient à un dogmatisme scientifique résistant au changement — comme par réflexe.

Il existe une confirmation scientifique supplémentaire de l'existence d'un rythme lunaire dans les homicides. Le Dr Edward J. Malmstrom de l'institut Berkeley's Wright, grâce à une bourse de recherche accordée par le National Institute of Mental Health, est parvenu à trouver une périodicité statistiquement significative dans les homicides et les suicides des districts de Alameda en Californie et Denver dans le Colorado pour la même période de quinze ans (1956-1970). Il s'est servi du moment de la blessure fatale comme variable de mesure, a suivi minutieusement ma méthode de traitement par ordinateur et adapté ses tests statistiques à ses données. Le travail du Dr Malmstrom enregistré par le National Institute of Mental Health, en décembre 1977, est une confirmation, dans deux autres lieux, de mes découvertes de 1972.

3

LA LUNE ET L'AGRESSION

Frénésie démoniaque, sombre mélancolie et folie lunaire.

Paradis perdu, MILTON.

Parce que la lune affecte la vie de chacun de nous, on devrait pouvoir démontrer son influence sur d'autres comportements que sur le plus violent de tous : le meurtre. Pour ne pas limiter là notre étude, nous avons décidé de recueillir des informations sur d'autres actes violents : suicides, voies de faits, accidents de la circulation ayant causé mort d'homme, internements d'urgence en hôpital psychiatrique. Si nous parvenions à trouver des rythmes lunaires dans ces cas-là, notre théorie sur l'influence de la lune sur l'agression humaine se trouverait renforcée. Nous voulions aussi vérifier de cette façon notre hypothèse selon laquelle les effets de la lune sont dus à l'action directe ou indirecte de la gravitation. Dans ce dessein nous avions besoin d'étudier les cycles lunaires autres que le cycle synodique et les phases de la lune.

La lune tourne autour de la terre en 29,5 jours. Au cours de cette révolution, elle reflète plus ou moins de lumière venant du soleil. Quand la lune se trouve entre le soleil et la terre, elle ne renvoie aucune lumière vers la terre ; c'est ce qu'on appelle la nouvelle lune ou « nuit sans lune ». Quand la lune se trouve de l'autre côté de la terre, au point le plus éloigné, elle nous renvoie un maximum de lumière solaire et c'est la pleine lune.

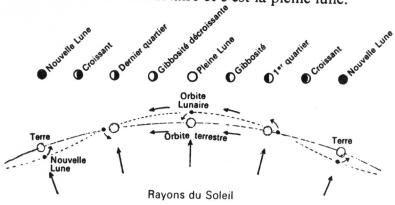

LES ORBITES DE LA TERRE ET DE LA LUNE
AU COURS DU MOIS LUNAIRE

La terre n'est pas le seul point de référence intervenant dans les rythmes lunaires. La lune est en fait animée de près de quatre cents rythmes. Au niveau de la force de gravitation exercée sur la terre, les seuls rythmes d'importance sont le cycle synodique, le passage de la lune de son apogée à son périgée et le trajet quotidien de la lune, les éclipses.

Etant donné qu'il n'y a pas plus de deux éclipses de lune et deux de soleil par an, il est impossible d'avoir des données assez importantes pour étudier le cycle des éclipses. En revanche, on peut étudier le cycle apogée-périgée et le trajet quotidien de la lune.

La lune est à son apogée quand elle se trouve au point le plus éloigné de la terre. Le périgée correspond au point le plus rapproché (la lune passe de son apogée à son périgée en 27,5 jours). Sachant que la force de gravitation varie en raison inverse du carré de la distance séparant deux corps qui s'attirent, la force de l'attraction lunaire est accrue quand elle est au périgée. Les dates des apogées et des périgées lunaires sont consignées dans l'almanach *American Ephemeris and Nautical Almanach*. Nous avons relevé les dates précises d'apogée et de périgée de la lune pendant les 15 ans de notre étude. Une simple modification de programme de notre ordinateur nous a permis de rapprocher nos données concernant les homicides de celles concernant les cycles apogée-périgée.

La force de gravitation maximale exercée sur la terre se produit lorsque la pleine lune, ou la nouvelle lune, coïncide avec le périgée lunaire. Sur les quinze ans de notre étude, cette coïncidence s'est produite vingt-neuf fois. L'analyse de la fréquence des meurtres durant chacune de ces vingt-neuf périodes n'a donné aucun résultat significatif.

A première vue, ceci va à l'encontre de mon hypothèse. Si nous ne nous étions fiés qu'aux seules corrélations statistiques, un coup fatal aurait été porté à la théorie des marées biologiques et notre étude aurait pris fin. Heureusement, nous ne nous sommes pas cantonnés au travail de l'ordinateur.

Durant les cinq années de nos recherches, nous avons constamment suivi les informations locales et nationales diffusées par les médias. J'ai personnellement passé des heures chez le médecin légiste du district et suivi de près toute recrudescence du nombre de morts violentes. Peu de temps après le début de cette recherche, à la fin du mois d'août 1970, une série de crimes épouvantables a été commise dans la région de Miami. Effet de coïncidence? De nombreux crimes violents, souvent à caractère sexuel, se sont produits à travers tout le pays. En consultant mes éphémérides (tables astronomiques donnant pour chaque jour la position des planètes), j'ai trouvé que nous vivions une période importante de coïncidence de cycles cosmiques. C'était le moment de la pleine lune, du périgée lunaire, et il y avait une éclipse. De sorte que le soleil, la lune et la terre étaient alignés dans le même plan et les forces de gravitation étaient considérablement accrues. De plus, l'équinoxe d'automne arrivant dans les deux semaines qui ont suivi, l'intensité de la force de gravitation a été accrue. Lors de telles coïncidences astronomiques, on enregistre sur les côtes des marées océaniques exceptionnellement fortes. Je me suis dit que les marées biologiques allaient être affectées aussi. Elles le furent.

Le nombre des meurtres, surtout des meurtres bizarres, alors que la force de gravitation était importante, s'éleva d'une manière significative dans le district de Dade. Il atteignit le double de la normale en septembre et octobre 1970. Voici quelques exemples significatifs :

Le 23 septembre 1970, Socrates Johns, coureur automobile en retraite, travaille dans le magasin de pneus de son fils, quand trois hommes armés entrent pour le dévaliser. Comme M. Johns veut résister, il est blessé. Sans arme, il se met à poursuivre les voleurs dans son magasin, puis dans la rue. C'est alors qu'un des agresseurs se retourne, fait feu à nouveau et le tue net.

Le jour même du meurtre de M. Johns, Gyorgy Virag sort d'un restaurant en compagnie de trois de ses amis quand ils se trouvent nez à nez avec deux hommes armés. L'un d'eux crie : « C'est un hold-up. » M. Virag répond : « Je vais chercher mon fusil », et il se précipite vers sa voiture. Un des assaillants l'assomme à coups de matraque et le tue d'une balle dans la tête.

Le jour suivant, Debbie Oldham, vingt-trois ans, serveuse au *Casino Bar,* voit deux hommes entrer ; ils lui commandent des sandwiches. Soudain, l'un d'eux sort un pistolet. Miss Oldham quitte le bar précipitamment, agitant les bras et hurlant d'une manière hystérique. L'homme affolé la tue de quatre balles.

Ces trois victimes placées dans des situations extrêmes, question de vie ou de mort, se sont comportées de façon à attirer la violence sur elles. On peut penser que l'intensité de la force de gravitation entraîne une attitude d'autodestruction autant que d'agression. Ces deux activités sont certainement liées, comme l'a montré la psychologie des profondeurs.

Devant une recrudescence évidente et dramatique des comportements perturbés, en période de coïncidence entre trois cycles astronomiques, nous sommes restés perplexes. Pourquoi n'avions-nous constaté aucune augmentation du nombre des meurtres lors de la coïncidence de deux cycles : nouvelle lune ou pleine lune et périgée lunaire ? La situation contredisait toute logique. Fallait-il une coïncidence de plus de deux cycles lunaires, pour qu'il y ait une augmentation des meurtres ?

D'après ma théorie, nous devons nous attendre à une recrudescence d'actes violents dès que la force de gravitation dépasse la moyenne. La corrélation existant entre les meurtres du district de Dade et la pleine lune ou la nouvelle lune a montré qu'un seul cycle lunaire pouvait avoir une incidence sur la violence humaine. Alors, comment expliquer ces résultats contradictoires ?

Je trouvai la solution le jour où je rendis visite au Dr Frank Brown, dans son laboratoire d'Evanston. J'avais rencontré le Dr Brown lors de colloques scientifiques internationaux. Découvrant par hasard que les natures de nos recherches étaient voisines, nous collaborâmes occasionnellement. Le Dr Brown étudie l'action des variables géophysiques sur l'activité végétale et animale. Je consultai ses relevés concernant les rythmes d'activité de ses « sujets » en fonction des phases de lune. Les courbes décrivant les activités métaboliques de graines de haricots, de germes de pommes de terre, ainsi que celles des hamsters, avaient des périodicités régulières comportant des maxima à proximité de la nouvelle et de la pleine lune. Devant le graphique décrivant l'activité d'un hamster, je remarquai de temps en temps une culmination de pleine lune ou de nouvelle lune, considérablement plus élevée. A d'autres moments, la forme de la courbe se trouvait exactement inversée, l'activité ayant considérablement *diminué*.

Le Dr Brown à qui je demandai d'expliquer cette disparité me répondit que tous les organismes passent par de semblables croissances et décroissances périodiques. Il avait tiré de plusieurs années d'observation la conclusion que les organismes sont toujours dans un état de réceptivité positive ou négative à leur environnement naturel. Dans le cas d'une réceptivité positive, toute perturbation significative de l'environnement provoque une élévation des pointes d'activité. Dans le cas d'une réceptivité négative, la perturbation de l'environnement provoque l'effet inverse et la courbe d'activité de l'organisme présente une dépression au lieu de culminer. La nature négative ou positive de la réceptivité est le fait du hasard. Un organisme se trouve à peu près la moitié du temps en état de réceptivité négative et l'autre moitié en état de réceptivité positive. Il en est de même pour les hommes. Il n'y a aucune raison de penser que nous sommes différents des plantes et des animaux en matière de réceptivité à l'environnement (bien que nous réagissions de bien plus nombreuses façons). C'est probablement ce qui explique que nous n'ayons pas pu montrer en une seule expérience d'augmentation du nombre des meurtres pendant ces périodes où l'intensité de la force de gravitation est exceptionnelle. C'est aussi ce qui explique la nature particulièrement bizarre des crimes commis. Il semble que les individus déséquilibrés — dans une période de réceptivité positive — aient tendance à extérioriser leurs pulsions violentes. Simultanément, bien sûr, la deuxième moitié de la population se trouve dans un état de réceptivité négative. Ces per-

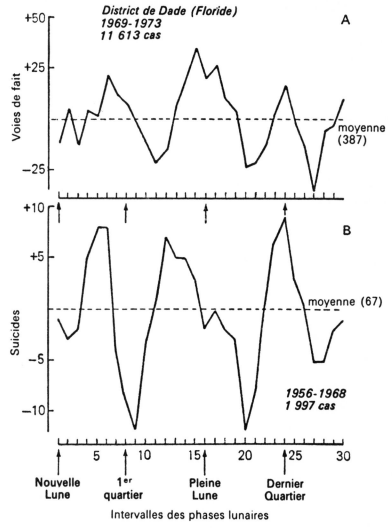

COURBES DES VOIES DE FAIT ET DES SUICIDES
TRACÉES EN FONCTION DU CYCLE SYNODIQUE LUNAIRE *

* Courbes tracées par rapport à la moyenne, avec une pondération de
3 points.

On remarquera la ressemblance entre les deux périodicités en fonction du
cycle synodique lunaire.

61

sonnes sont alors exceptionnellement calmes et repliées sur elles-mêmes.

Bien des gens se sentent plus calmes et plus détendus à la nouvelle ou à la pleine lune. Ces périodes sont très propices à la méditation ou à d'autres activités passives. On prétend que les phénomènes psychiques sont exacerbés durant l'une ou l'autre période. Ce facteur de réceptivité positive ou négative montre avec quelle prudence il faut prendre les statistiques. Si à n'importe quel moment, la moitié de la population est susceptible d'agitation et l'autre de calme, le nombre moyen d'incidents violents ne varie pas outre mesure. Pourtant, il y a quelque chose de spectaculaire dans les incidents se produisant alors. Ceci montre combien, en matière d'influence lunaire, les effets à étudier sont restreints (statistiquement réduits).

Il y a bien longtemps que le Dr Brown a renoncé à se fier aux statistiques. Il croit davantage au bien-fondé d'une observation minutieuse menée sur une longue période. C'est aussi l'opinion de nos chercheurs en matière d'effets lunaires. Les statistiques ne peuvent fournir qu'une représentation en coupe d'un événement unique dans le temps. Cette représentation est statique et ne reflète en aucun cas les interactions dynamiques unissant tout organisme à son environnement. Les méthodes statistiques qui mettent une périodicité en évidence sont utiles, mais de portée limitée.

Nous avons étudié nos données relatives au trajet quotidien de la lune. Celui-ci régit les marées quotidiennes : deux marées hautes et deux marées basses. Ce cycle résulte de la rotation de la terre sur elle-même et de sa situation par rapport à la lune et au soleil. La lune exerce une attraction maximale sur la terre à deux reprises chaque jour. Des recherches ont montré qu'il n'y avait aucune corrélation entre les meurtres et le trajet quotidien de la lune.

Dès lors, il est clair pour moi que le cycle des phases de la lune est le cycle clef pour tout ce qui concerne la régulation des activités végétales, animales et humaines. Les autres cycles lunaires ont peu de conséquences. Cependant, aux points d'interaction de un ou deux de ces autres cycles avec le cycle synodique se produisent des effets lunaires. (Les météorologistes font état de pareilles découvertes. Le cycle synodique est le plus déterminant des cycles lunaires sur le temps atmosphérique.)

Comme nous l'avons fait remarquer plus haut, nous avons décidé pour élargir le champ de nos recherches d'étudier les conduites agressives autres que l'homicide. Nous avons utilisé les registres de la police du district de Dade mentionnant les voies de fait, les suicides, les accidents de circulation mortels et les passages dans les services d'urgence de psychiatrie. Le caractère agressif de cette dernière sorte de données est discutable ; il a été établi que 80 p. 100 de ces séjours correspondaient à des patients dont le comportement était dangereux pour eux-mêmes ou pour autrui ; un quart d'entre eux ayant tenté de se suicider.

Les données utilisées, pour les différents comportements à l'étude, couvraient des périodes de temps allant de cinq à quinze ans. A une exception près — celle des suicides —, nos informations ont été triées afin d'éliminer toutes les dates imprécises. En ce qui concerne les suicides, comme ils se produisent généralement sans témoin, la victime peut être retrouvée quelque temps après sa mort. Dans ce cas-là, c'est l'enquête policière et les résultats d'autopsie qui permettent d'estimer le moment de la blessure fatale. Nous avons dû rejeter de nombreux cas de suicide car les estimations permettant de les situer dans le temps étaient peu fiables. Nous avons retenu les cas de suicide pour lesquels nous avions des précisions acceptables car des études récentes

63

COURBES DES SÉJOURS EN HÔPITAUX PSYCHIATRIQUES, DES ACCIDENTS MORTELS DE LA CIRCULATION, ÉTABLIES EN FONCTION DU CYCLE SYNODIQUE LUNAIRE *

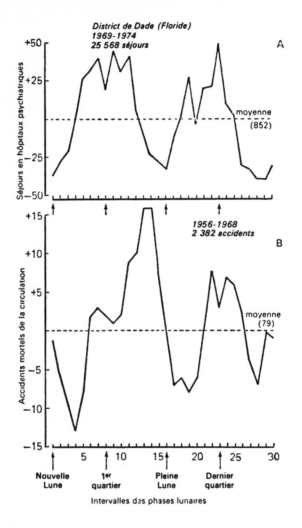

* Courbes tracées par rapport à la moyenne, avec une pondération de 3 points. On remarquera la ressemblance entre les deux périodicités en fonction du cycle synodique lunaire.

64

montrent une influence probable de la lune sur les tentatives de suicide.

Pour chaque type de comportement étudié en fonction des phases de la lune, nous avons trouvé une corrélation significative sauf dans le cas des suicides. Malgré cette exception, il est fort probable que les suicides sont intrinsèquement liés aux phases de la lune car toutes les autres attitudes destructives font apparaître une très nette périodicité lunaire. Les résultats négatifs que nous avons eus viennent probablement de l'imprécision des données. Pour étudier la fréquence des suicides, il faut trouver une autre méthode.

Les voies de fait, considérées essentiellement comme des tentatives de meurtre dans lesquelles la victime s'en est bien tirée, culminent aux alentours de la pleine lune. Une seconde culmination apparaît juste avant la pleine lune. Ces culminations coïncident avec celles trouvées pour les homicides. La période de la pleine lune est une période privilégiée pour toutes manifestations de violence dirigées vers autrui — avec peut-être une diminution au moment de la nouvelle lune. Les accidents de circulation mortels présentent un maximum entre le 1er quartier et la pleine lune et un autre lors du dernier quartier. Les internements d'urgence en hôpital psychiatrique culminent aux environs du premier et du dernier quartier avec une diminution significative lors de la nouvelle et de la pleine lune.

Dans son enquête sur les internements psychiatriques, précédant nos travaux, le Dr Roger Osborn notait ceci : « S'il est vrai que les phases de la lune exercent une influence sur les admissions en hôpitaux psychiatriques, tous les troubles du comportement occasionnés par la lune peuvent ne pas être d'abord assez graves pour nécessiter une hospitalisation immédiate. Il faut pour cela que le trouble persiste quelques jours. Dans ce cas, le nombre le plus élevé des admissions suit d'autant la phase de la lune. »

Si les brefs séjours en hôpitaux psychiatriques sont sujet à ce même retard, cela peut expliquer le décalage des culminations de la courbe par rapport aux phases de la lune.

Nous avons trouvé une ressemblance frappante entre la courbe des voies de fait en fonction du cycle synodique et celle des suicides. Le parallélisme de leurs tracés tout au long des phases lunaires suggère l'existence de caractéristiques psychodynamiques communes aux deux sortes de violence. La modeste corrélation entre les suicides et les accidents de circulation mortels corrobore l'idée populaire que bien des accidents de circulation sont en fait des suicides. On peut considérer que les voies de fait, les accidents mortels et les suicides, sont des comportements permettant de décharger des pulsions agressives visant à l'autodestruction ou à la destruction d'autrui.

Nos résultats nous ont menés à la conclusion suivante : Il existe une relation entre les agressions humaines et le cycle synodique lunaire. Selon Freud, l'agression est un instinct psychologique fondamental, et selon Konrad Lorenz, une fonction biologique naturelle commune à tous les animaux, l'homme y compris. Dans un cas comme dans l'autre, on peut s'attendre à trouver dans l'agression, comme dans toute fonction vitale et fondamentale, une périodicité ou rythme biologique. Il apparaît évident que le rythme des agressions humaines est mensuel et qu'il est basé sur le cycle synodique lunaire.

Nos résultats ont été confirmés plus tard par cinq autres études du même genre :

1. Jodi Tasso et Elizabeth Miller, psychologues à l'université de Edgecliff à Cincinnati, ont publié un article en 1976 sur les viols, vols, attaques, cambriolages, vols de voitures, délits contre la famille et les enfants et

états d'ébriété. Tous ces actes délictueux augmentaient lors de la pleine lune.

2. Gerald N. Weiskott et George B. Tipton ont étudié les registres d'admissions dans les hôpitaux psychiatriques du Texas durant neuf mois. D'une manière révélatrice, les entrées étaient plus nombreuses durant la pleine lune que durant la nouvelle lune. Ils ont comparé le nombre d'internements durant chaque phase de la lune avec le nombre d'entrées à des moments pris au hasard, les pourcentages les plus élevés se situent lors de la pleine lune et lors du dernier quartier.

3. Carlos E. Climent docteur en médecine, psychiatre à l'université Del Valle (Cali, Colombie S.A.) et Robert Plutchik, docteur en physique et médecin du Albert Einstein College of Medicine, dans le Bronx, ont étudié les admissions à l'hôpital psychiatrique de Cali, sur une période de onze ans, et mis en évidence une périodicité lunaire. Ils ont montré que le nombre de patients psychotiques de sexe masculin était plus élevé lors de la nouvelle lune. Dans leurs travaux, publiés en 1977, ils ont étudié minutieusement les problèmes méthodologiques de plusieurs études antérieures sur le même sujet.

4. Sheldon Blackman et Don Catalina ont étudié, pendant un an, les entrées d'urgence dans le centre de santé mentale de Staten Island à New York. Le nombre des entrées était plus grand les jours de pleine lune qu'à aucun autre moment du mois. Comparant leurs données avec certaines variations atmosphériques, MM. Blackman et Catalina n'ont trouvé aucun rapport entre le fait que la lune soit visible et la recrudescence des admissions lors de la pleine lune.

5. Klaus-Peter Ossenkopp et Margitta Ossenkopp ont trouvé une périodicité lunaire dans le nombre de blessures que s'auto-infligeaient les malades de la consultation externe d'un hôpital psychiatrique pour femmes au Canada.

Armés de nos nombreuses années d'expérience et des résultats de nos recherches ainsi confirmés et agrandis, nous pouvions nous lancer dans la prévision des périodes de comportements déréglés. A la fin de l'été 1973, je découvris par hasard dans un article scientifique du magazine *Time* l'annonce d'une importante conjonction astrale de cycles pour janvier et février 1974, avec des marées extraordinairement fortes. Ce début d'année-là, la terre, la lune et le soleil allaient se trouver alignés — dans une position appelée « syzygie » avec un périgée lunaire exceptionnellement proche de la terre. De plus, la terre allait se trouver en position de périhélie, c'est-à-dire à son point d'orbite le plus proche du soleil. En 1962, des marées exceptionnellement fortes avaient provoqué quarante morts et cinq cents millions de dollars de dégâts parmi les habitations situées le long de la côte médio-atlantique — l'océan avait alors été balayé par des rafales de vent atteignant 70 nœuds et s'était soulevé de 2,85 m au-dessus de son niveau moyen de basses eaux. (Nous avons déjà indiqué les conséquences dramatiques sur le comportement humain d'un tel alignement de planètes qui s'était déjà produit en septembre 1970.)

Je mis en état d'alerte mes correspondants auprès des services de police de Miami, auprès de la presse locale, des services psychiatriques du Jackson Memorial Hospital et auprès du médecin légiste du district de Dade. Nous allions pouvoir tenter de suivre les variations des types de comportement violent étudiés antérieurement. Dans une lettre envoyée au médecin légiste, le Dr Joseph Davis, je lui annonçai un bouleversement général du comportement humain pour cette période. Je prévoyais une. élévation du nombre des internements psychiatriques d'urgence, une recrudescence d'accidents de tous genres, et en particulier d'homicides. J'avertis le Dr Davis de se montrer vigilant et surtout de s'attendre

« à des meurtres de nature bizarre et brutale et à des meurtres provoqués par les victimes elles-mêmes ». J'ajoutai : « Si nous sommes capables de prévoir les périodes exceptionnelles de perturbation du comportement humain, nous pouvons envisager d'apporter une aide positive en matière de prévention. »

Après cet engagement personnel risqué, j'attendis avec impatience.

Comme prévu, cette période de conjonction astrale exceptionnelle fut une période infernale, surtout les deux premières semaines de janvier, alors que la lune se trouvait à 349 153 km de la terre, les océans étaient déchaînés. Le 8 janvier la côte californienne est ravagée par une marée périgéenne de printemps d'une exceptionnelle ampleur, accrue encore par la direction du vent.

A Miami, le *Miami News* du 21 janvier titre : « Une brutale recrudescence des meurtres étonne la police locale. » Le nombre des meurtres est trois fois plus élevé durant les trois premières semaines de 1974 que pendant tout le mois de janvier 1973. La brutalité de la plupart des crimes et, pour nombre d'entre eux, l'absence de mobile apparent inquiètent vivement la police. La liste qui suit n'est pas exhaustive, elle décrit quelques-uns des cas de violence de cette période de tension cosmique exceptionnelle. Durant les deux premières semaines de janvier seulement, on enregistre neuf meurtres dans la région de Miami :

— à Orlando, deux crimes contre des officiers de police sont commis séparément.

— Samuel Carson est abattu de deux coups de feu dont un mortel alors qu'il bavardait avec des amis sur le pas de sa porte.

— La même nuit, une vieille dame de soixante-dix ans est sauvagement battue et violée dans un cimetière. Elle meurt le lendemain des suites de ses blessures.

— Un homme de quarante-cinq ans poignarde son fils de vingt-cinq ans au cours d'une dispute.

— Un vagabond âgé de cinquante-sept ans est retrouvé mort sur un dépôt d'ordures à la périphérie de Miami. Il a été battu avec une planche et égorgé en plein jour sans mobile apparent. (Commentaire d'un sergent de police : « Bizarre pour un clochard de mourir comme ça. »)

— Un médecin résident de l'hôpital Jackson Memorial, âgé de trente-deux ans, est découvert mort dans son appartement après avoir été ligoté, battu et étranglé.

— Un homme tue sa femme, puis retourne son fusil contre lui et meurt sur le siège arrière d'une voiture conduite par son propre beau-frère. Sur le siège avant du véhicule : les deux enfants du couple.

Durant cette période de conjonction astrale, cette violence excessive n'est pas seulement le fait de la région de Miami. Le reste du monde n'est pas épargné :

— Dans la banlieue de New York, trois jeunes adolescents prennent un garçon de quatorze ans en otage et réclament une rançon de 15 000 dollars. Après le versement de cette somme, ils étranglent leur victime. (On découvre son corps, attaché à un arbre dans un bois enneigé.)

— A Taos, Nouveau-Mexique, un ouvrier agricole au chômage tire une balle dans la tête de chacun de ses quatre enfants — trois victimes.

— A San Joaquim au Brésil, une femme ouvre la poitrine de son fils de dix mois d'un coup de machette, pour le libérer d'une habitation démoniaque — le meurtre est commis en présence des quatorze autres membres de la famille.

— A Wichita (Kansas), on retrouve quatre personnes d'une même famille tuées à leur domicile — l'une d'elles avait la tête dans un sac de plastique, deux autres avaient été étranglées, la quatrième avait été pendue à la tuyauterie au sous-sol.

Cette vague de tension excessive n'affecte pas seulement les humains. On m'a rapporté qu'en Afrique, un Arni — sorte de buffle — généralement inoffensif et docile, pesant près d'une tonne, a tué d'un coup de corne et piétiné un gardien de réserve, au cours d'un accès de folie.

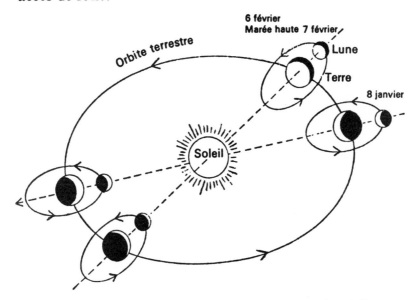

Conjonction des planètes : Soleil-Terre-Lune, ayant donné lieu aux marées périgéennes de printemps de 1974. Une conjonction semblable est prévue pour 1990 et 1992.

Heureusement, une coïncidence astrale de cette importance se produit rarement. Fergus J. Wood, chercheur à l'institut océanographique, « National Ocean Survey », annonce une prochaine coïncidence semblable pour janvier 1990 et 1992. Nous avons le temps de nous préparer.

Dans le district de Dade, pendant ces trois premiers

mois de 1974, le nombre des décès (quelles qu'en soient les causes) augmente considérablement. En janvier seulement, le nombre des internements psychiatriques d'urgence fait un bond spectaculaire : 35 p. 100 de plus que le mois précédent. Durant les trois mois de la période considérée, les admissions d'urgence en psychiatrie sont en augmentation de 40 p. 100 par rapport à la même période de l'année d'avant. Durant ces trois mois, l'hôpital psychiatrique de Jackson Memorial est presque complet, ce qui ne s'est jamais produit les deux années précédentes.

Il nous a été impossible d'annoncer avec précision quels types de comportement violent allaient connaître une recrudescence, mais nous avons pu prévoir d'une manière générale un bouleversement massif dû à cette conjonction astrale.

L'arrêt progressif de ces manifestations violentes a rendu toute vérification statistique difficile, voire impossible. D'un point de vue purement statistique, seules les hospitalisations d'urgence ont augmenté d'une manière révélatrice. Cependant, le Dr Davis, les officiers de police de la ville et les journalistes, à qui j'avais fait part de mes prévisions, furent convaincus de leur véracité et de leur sérieux. Il devenait donc possible, à partir de ce moment-là, de prendre des mesures préventives en matière de psychiatrie et de criminologie.

4

LA LUNE ET LES CYCLES NATURELS

« En ce qui concerne les révolutions de ces corps célestes, elles
pourraient bien être régies par d'autres principes cachés. Le but de la
nature consiste alors à mesurer l'apparition et la fin des choses, en
fonction de ces corps célestes. Elle ne peut le faire avec exactitude à
cause du caractère indéterminé de la matière, et de l'existence de
nombreux principes qui viennent contrecarrer les processus naturels
de génération et de dissolution, et sont bien souvent à l'origine des
choses contre nature. »

ARISTOTE.

« La lune n'est rien d'autre qu'un aphrodisiaque tournant autour
de nous, subventionné par un Dieu, pour provoquer dans le monde
l'élévation du taux de natalité. »

The Lady's not for Burning
CHRISTOPHER FRY.

Il apparaît depuis les temps les plus reculés que la vie
elle-même est un processus rythmé. Comme l'a
remarqué Aristote, les rythmes vitaux ne sont ni
toujours exacts, ni toujours évidents.

Parmi les rythmes humains familiers étudiés aux cours des périodes récentes, on compte le somnambulisme, la nutrition, les activités physiques, la sexualité et la reproduction. Ces cycles, communs à tous les individus d'une même espèce, sont connus, encore que la régulation précise du cycle varie. Nous connaissons tous, autour de nous, des gens qui sont « du soir » ou « du matin » et nous savons que cette expression renvoie au cycle de leur activité physique. Les cycles de nutrition varient largement d'une personne à l'autre. Certaines se préparent un petit déjeuner gargantuesque le matin, alors que l'odeur de nourriture, au réveil, donne à d'autres des nausées.

Autrefois on prenait de tels rythmes en considération et on les associait aux mouvements des corps célestes. Mais la science moderne a mis du temps à les comprendre et à les accepter. Entre 1880 et 1890 on a fait beaucoup d'études sur les rythmes biologiques. En 1898 le lauréat danois du prix Nobel, Svante Arrhenius, publia une étude sur ce sujet. Il y a trente ans, le Dr Franz Halberg et ses associés de l'université du Minnesota, donnèrent à ces rythmes biologiques le nom de rythme « circadien ». Circadien signifie « en un jour ». Ce terme s'applique aux nombreux cycles qui se produisent en un jour. Certains cycles biologiques, comme le cycle menstruel, ont une durée assez longue, d'autres, comme le cycle du sommeil, une durée plus courte. De nombreuses fonctions humaines ont un déroulement cyclique : la température, les battements du cœur, la sensibilité à la douleur, aux couleurs, etc. Ces fonctions organiques persistent chez les individus qui descendent dans des grottes pendant des mois. L'homme est un ensemble symphonique de rythmes et de cycles.

Les rythmes biologiques peuvent se trouver perturbés par des influences extérieures telles qu'un traumatisme, une maladie, le chaud, le froid, les intempéries. Le phénomène bien connu du décalage horaire est un exemple de rythme d'activité perturbé par un long voyage.

On a découvert récemment que la variation d'une des quatre substances suivantes : l'eau lourde, la dalinomycine (un antibiotique), l'alcool ou le lithium, peut perturber les rythmes biologiques. Ces rythmes peuvent aussi être retardés ou déclenchés au moyen d'un stimulus lumineux artificiel, chez un sujet isolé de la lumière solaire. Bien que décalés dans le temps, ces rythmes se déroulent régulièrement.

Même en laboratoire, même à l'abri de toute lumière solaire ou lunaire, il existe des rythmes solaires (24 heures) et des rythmes lunaires (24,8 heures), des rythmes mensuels synodiques lunaires (29,5 jours) et des rythmes annuels. Parce que ces rythmes persistent, dans des situations apparemment constantes d'isolation, on a présumé qu'ils possédaient une autonomie temporelle, une sorte d'horloge interne. Cette théorie de l'horloge biologique est admise par la majorité des chercheurs étudiant les rythmes biologiques. Cette autorégulation existe, croit-on, dans chaque cellule de tout organisme vivant. On pense que c'est cette autorégulation qui déclenche les rythmes individuels et en maintient le fonctionnement, indépendamment des influences externes. Pourtant, jusqu'à présent, personne n'est encore parvenu à localiser le mécanisme de cette mystérieuse et insaisissable horloge.

En ce qui me concerne, je partage l'opinion de mon collègue, le Dr Frank Brown, principal défenseur de la théorie d'une régulation extrinsèque des rythmes biologiques. Ces rythmes biologiques sont réglés par des facteurs extérieurs d'origine astrale. Ce sont les cycles des planètes qui déclenchent les flux réguliers de notre environnement. Ces rythmes ont des répercussions sur tous les phénomènes écologiques : le lever et le coucher du soleil; et aussi le flux et le reflux des océans; les marées, qui se produisent à deux reprises, et dont la périodicité dépasse en durée le jour solaire.

La lumière est le premier de ces facteurs régulateurs des rythmes biologiques. Le Dr Brown est parvenu à montrer que les animaux avancent ou retardent le rythme de leurs activités en fonction des saisons et donc de la plus ou moins grande durée du jour. Il est facile de manipuler la luminosité en laboratoire pour démontrer le fonctionnement de ce mécanisme.

En ce qui concerne les animaux vivant au bord de la mer, c'est le rythme des marées qui sert de régulateur. Les marées déterminent chez eux les moments où il convient d'être actif et ceux où il convient de se nourrir. Certains crabes, les crabes appelants, courent sur les plages ou se nourrissent en fonction des marées, mais la couleur de leur peau s'éclaire ou s'assombrit en fonction de la lumière solaire. Dans leur cas, deux rythmes — celui de la lune et celui du soleil — régissent un même organisme vivant. Le résultat de l'interaction de ces deux rythmes circadiens est un rythme qui se répète de deux semaines en deux semaines. Le Dr Brown a découvert que le rythme de ce crabe n'est pas fonction d'un mécanisme régulateur compliqué, mais dépend des cycles naturels. L'influence de la lune, visible chez certaines espèces d'animaux terrestres, provient de ce qu'à un stade antérieur de leur évolution, ils étaient des animaux marins. Tous les organismes terrestres vivants ont été marins et, à ce titre, placés sous l'influence des marées.

S'il est aisé de comprendre comment la lumière du soleil peut être un régulateur temporel, il est plus difficile de comprendre comment la gravité de la lune peut en être un autre. Les crustacés, ballottés par les marées, pourraient être régulés autant par le flux des marées que par d'autres moyens. Pour étudier l'action des marées comme régulateur temporel, le Dr Brown s'est fait expédier par avion, à son laboratoire de Evanston, des huîtres provenant du Connecticut.

On sait que les huîtres ouvrent leurs coquilles à marée haute. Ces conditions ont été scrupuleusement reproduites en laboratoire. On a veillé à ce que les huîtres, dans leur bassin d'eau de mer, ne puissent passer sous l'influence d'aucun autre régulateur temporel. Durant la première semaine, les coquilles se sont ouvertes aux heures de marée haute dans le Connecticut selon le rythme auquel elles étaient habituées. Deux semaines après, leur horaire changea. Elles s'ouvraient alors au moment où la lune passait au zénith au-dessus de leur nouveau domicile en Illinois. Si Evanston se trouvait au bord de l'océan, ce moment correspondrait à la marée haute. Les huîtres ont donc suivi les instructions temporelles données directement par l'attraction lunaire.

Mais comment pouvaient-elles sentir l'attraction lunaire alors qu'elles étaient privées dans leur bassin du laboratoire de tout contact avec le monde « extérieur »? La raison est la suivante : la lune provoque des modifications au niveau des champs électromagnétiques, entourant tout organisme vivant. Les huîtres ont senti le changement et s'y sont adaptées. Les chercheurs pensent qu'une partie du système nerveux est chargée de détecter tout signal d'un changement de champ.

Des myriades d'organismes marins ressentent l'attraction lunaire et sont affectées par les rythmes de la lune. Ceux-ci interviennent dans les cycles reproductifs des poissons. Certains d'entre eux ne procréent que la nuit qui suit la pleine ou la nouvelle lune. Les anguilles d'Europe ne se mettent en route pour leurs terrains de frai, dans la mer des Sargasses, qu'en période de lune descendante. L'activité de certains crabes est à son maximum quand la marée est haute. Pour d'autres, le crabe appelant en particulier, la période d'activité se situe à marée basse.

Certains animaux marins réagissent à la lune d'une manière très sophistiquée. Le ver palolo des îles Samoa et Fidji, qui passe la plus grande partie de sa vie à l'intérieur des récifs coralliens, ne sort de l'eau pour s'accoupler que la nuit qui précède le dernier quartier de lune en octobre et novembre. A ce moment-là, les queues de ces vers, gonflées d'œufs et de sperme, se détachent et remontent à la surface où les indigènes les ramassent par pleins paniers. Pour eux, ces jours-là sont des jours de fête, et la coïncidence entre la récolte des vers et la période de fête n'est possible que parce que le calendrier lunaire est très précis. Ce n'est pas la force attractive de la marée, à son maximum lors de la pleine lune, qui déclenche ce processus, mais c'est un moment particulier du cycle lunaire.

Les connaissances ancestrales des pêcheurs sur les cycles des animaux marins ont été modernisées par John S. Haddock au nom approprié. Il a publié un calendrier pour les pêcheurs, indiquant les heures où les poissons mordent. D'après ce calendrier l'appétit des poissons est stimulé quatre fois par jour. Ces stimuli ne se produisent jamais à la même heure, car le jour lunaire est un peu plus long que le jour solaire. Le calendrier Haddock convertit le temps lunaire en temps solaire et fait les corrections géographiques. Il permet au pêcheur de mettre la chance de son côté. M. Haddock prétend que les pêches les plus miraculeuses ont lieu durant les périodes où l'appétit des poissons est stimulé. Il faut remarquer que le temps solaire tout seul ne fournit aucune indication concernant ces horaires.

La théorie du Dr Brown sur le caractère extrinsèque de la régulation des rythmes biologiques n'est encore acceptée que par une minorité. Mais de nombreux chercheurs et savants commencent à accepter ses idées et à les appliquer à leurs propres recherches. A mon avis la théorie de Brown est la plus simple et la plus élégante des deux théories sur les rythmes biologiques. Elle ne dépend pas, à l'inverse de la théorie de l'horloge biologique interne, d'un mécanisme dont rien ne prouve l'existence — la théorie de la temporalité extrinsèque s'appuie sur des forces et des systèmes dont on connaît bien l'existence et le fonctionnement : les cycles astronomiques, les sens, le système nerveux, etc. Mes recherches sur les phases de la lune et le comportement humain viennent appuyer la théorie de la régulation extrinsèque du Dr Brown.

Le cycle reproductif est le cycle naturel dont la régulation est le plus souvent associée à la lune. Que de fois le clair de lune évoque dans nos esprits amour et romance! Ce lieu commun romantique recouvre-t-il en fait un principe biologique et nous donne-t-il l'occasion d'évoquer les mystères de la lune? La pleine lune est-elle autre chose qu'une source d'inspiration pour les amoureux? Chez les oursins au moins, la réponse est oui. Leur cycle reproductif est exactement calqué sur le cycle lunaire.

Dans le monde entier, on croit à un rapport entre la lune et le cycle reproductif humain. Est-ce une superstition? Aux Indes, par exemple, on croit que le sexe de l'enfant dépend de la phase de la lune lors de sa conception. On croit aussi que les naissances sont plus nombreuses les jours de pleine lune et de nouvelle lune. Les Indiens Navajo expliquent ceci par l'action de la lune sur le liquide où baigne le fœtus, une forme de marée biologique.

Les recherches scientifiques commencent à rattraper les croyances populaires. En 1961, un médecin berlinois, le Dr Hilmar Heckert, a démontré l'existence de rythmes lunaires dans les naissances et les décès humains. Dans une étude publiée en 1966, dans la revue *Journal of*

Genetic Psychology, Robert Mc Donald a montré sur son échantillon statistique l'augmentation très nette du nombre des naissances lors de la nouvelle et de la pleine lune.

L'autre domaine qui se prête à une étude scientifique est celui d'un éventuel rapport entre le cycle menstruel et le cycle lunaire mensuel. On a toujours cru que ces deux cycles avaient à peu près la même durée. Pour de nombreux savants — le Dr Heckert y compris — il y a un rapport entre la périodicité du cycle menstruel et le mois lunaire. Dans son étude de 1898 sur les rythmes biologiques, Arrhenius fait état de ce rapport. Romer en 1907, Bramson en 1929 et H. Guthmann et D. Oswald en 1936 ont étudié ce problème. Tous ont montré qu'un nombre significatif de cycles menstruels commencent avec la pleine ou la nouvelle lune.

En 1959, Walter et Abraham Menaker ont publié les résultats de leur étude sur la périodicité de la reproduction humaine en fonction du cycle lunaire. Ils ont utilisé une quantité énorme de données. Après avoir examiné les études déjà existantes sur la durée du cycle menstruel, ils ont trouvé qu'en moyenne celui-ci n'a pas approximativement la même durée que le mois lunaire mais *exactement la même durée,* c'est-à-dire 29,5 jours.

Pour étudier la durée de gestation, ils ont relevé des chiffres correspondant à 250 000 naissances. La période de gestation dure *exactement* 9 mois lunaires soit : 265,8 jours, près de 266 jours entiers. Ils en concluent que le système reproductif humain suit, non pas le temps sidéral, mais le temps lunaire. Il a été aussi prouvé que le nombre des naissances croît davantage lors de la pleine lune que lors des autres phases de la lune. Là encore, les preuves statistiques viennent confirmer ce qui n'était auparavant que superstition. Ce que l'on ne sait pas encore, c'est si ces naissances plus nombreuses de la pleine lune sont dues à un rapport entre la date de la conception et la lune, ou bien à une accélération du processus de la délivrance provoquée par l'attraction lunaire — ce que les Indiens Navajos appellent : accélération du travail.

Méditant sur les rapports éventuels entre la lune et le corps humain, les frères Menaker suggèrent que l'homme est le siège de marées biologiques : « Comme notre corps est constitué aux 2/3 de « mer » et au 1/3 de « terre », nous pouvons parler de « marées » humaines. » Cette conjecture, dans un domaine d'investigation totalement différent du mien, vient renforcer d'une manière significative, la théorie des marées biologiques.

En fait, les conclusions de A. et W. Menaker les conduisent, comme le Dr Brown et comme moi-même, à l'idée que le processus reproductif est réglé, dans le temps, par une horloge astronomique extrinsèque plutôt que par une mystérieuse horloge intrinsèque.

Etant donné l'existence probable d'un effet de la lune sur la périodicité du cycle reproductif humain, on peut se demander pourquoi les menstruations des femmes ne se produisent pas toutes au même moment, surtout si l'on se souvient que des femmes vivant en groupe finissent par avoir leurs règles en même temps. Si l'on tient comme probable l'existence d'une composante lunaire dans la menstruation humaine, l'on doit aussi reconnaître celle d'une composante solaire. Si toutes les femmes naissaient en même temps le même jour, on pourrait raisonnablement s'attendre à la coïncidence de leurs règles dans le temps — ceci n'est pas le cas bien sûr.

On peut se demander comment intervient la régulation lunaire dans le cycle reproductif. Durant le développement de l'embryon dans l'utérus, ses rythmes biologiques sont en harmonie avec ceux de la mère. A la naissance, le nouveau-né prend contact avec son environnement géophysique naturel pour toujours. Il est raisonnable de penser que les rythmes du nouveau-né, à ce moment-là, ne dépendent plus de ceux de sa mère, mais des forces qui s'exercent sur cet environnement.

Les rythmes biologiques de chaque individu deviennent autonomes à la naissance quand l'organisme entre en contact avec l'environnement et passe sous son influence. Nombreuses sont les forces de l'environnement humain qui agissent ainsi, comme régulateurs biologiques. Les rythmes biologiques sont donc imprimés dès la naissance. On peut identifier les rythmes solaire et lunaire à n'importe quel moment de la vie de l'individu. La périodicité de ces rythmes varie d'un individu à un autre, puisque nous naissons tous à des moments, et en des lieux différents.

A cause de l'interaction complexe de l'équilibre hormonal et de l'équilibre des fluides et électrolytes du corps, les femmes, à certains moments du cycle menstruel, peuvent être plus sensibles aux effets de déclenchement des marées biologiques. Avant les règles, de nombreuses femmes se sentent gonflées, tendues et irritables. Il se produit chez elles un engorgement des fluides et un déséquilibre des électrolytes. La tension supplémentaire résultant d'une haute marée biologique, qui précède les règles, peut avoir de graves conséquences sur leur physique et/ou, sur leur comportement. On sait bien que les femmes sont plus fragiles et plus capricieuses quelques jours avant les règles. On sait aussi que durant cette période, chez les femmes, les hospitalisations, les troubles psychiatriques et les crimes violents sont plus fréquents. L'équilibre des électrolytes et l'équilibre des fluides sont moins complexes en ce qui concerne les hormones mâles et il semble que le syndrome de tension prémenstruel n'ait aucune contrepartie chez les hommes.

Si ma théorie est vraie, les forces de l'environnement,

provenant des cycles planétaires, impriment chaque individu à sa naissance. On doit trouver les preuves de ceci en faisant un rapprochement entre la configuration astrale au moment de la naissance de l'individu et son comportement biologique ultérieur.

C'est ce qu'a fait le Dr Eugène Jonas, en Tchécoslovaquie. Il croit que les positions du soleil et de la lune à la naissance d'une fille déterminent les rythmes biologiques de son système reproductif, y compris de son ovulation. Une femme connaissant avec précision son rythme d'ovulation peut connaître sa période féconde. Pour Jonas, cette méthode astrobiologique de contraception est efficace à 98 p. 100. D'après la méthode traditionnelle, il faut éviter tout rapport sexuel vers la moitié du cycle (période présumée de l'ovulation). D'après Jonas, l'ovulation se produit deux fois par mois, une fois lors de la configuration astrale soleil-lune, correspondant au moment de la naissance de la femme, et une seconde fois lors de la configuration astrale qui lui est opposée à 180°. Les ovulations se produisent donc à des moments différents chaque mois. La date de l'ovulation varie d'une manière connue durant le cycle menstruel. Cette variation est basée sur la progression régulière de la lune et du soleil.

Edmond M. Dewan, qui travaille au laboratoire des sciences informatiques pour le service recherches de l'armée de l'air à Cambridge, L. G. Hanscom Field, propose d'utiliser la régulation biologique extrinsèque comme méthode de contrôle des naissances. Il a découvert que l'on pouvait régulariser les cycles menstruels irréguliers au moyen de la lumière artificielle. Sa méthode de contraception est efficace à 100 p. 100 ou presque. M. Dewan prétend que la lumière agit sur l'ovulation par l'intermédiaire des glandes de l'hypothalamus, de l'hypophyse et de la glande pinéale. Des recherches plus approfondies sont en cours.

Les pouvoirs de la lune

> *De cette planète oscillante et instable*
> *Divinité de l'eau qui s'écoule,*
> *Qui marque son emprise sur tout ce qui pousse,*
> *Et fait changer la dame de mon cœur,*
> *Je cherche souvent à ébranler l'influence,*
> *Et pourtant je ne sais où la trouver.*

Anonyme, XVIᵉ siècle

5

CONTINUITÉ COSMIQUE

Toute forme de vie est un résonateur cosmique. Nous sommes partie intégrante de l'Univers vivant. Nous sommes constamment influencés par le flux et le reflux de l'activité cosmique : les phases de la lune, les taches solaires, la radiation solaire, les rayons cosmiques, le mouvement des planètes, pour citer cinq aspects de cette activité. Ces forces fluctuent d'une manière subtile, mais pénétrante et régulière. Elles affectent l'atmosphère terrestre et perturbent l'environnement au niveau de la biosphère. Ces changements sont perçus par les hommes, les animaux et les plantes, et traduits en rythmes biologiques susceptibles d'être détectés au niveau d'une activité électromagnétique interne.

Les harmoniques de cette danse céleste retentissent avec des sonorités diverses. L'équipe de chercheurs de Harold Saxton Burr et de F.S.C. Northrup, travaillant à l'université de Yale, s'est attaquée à l'étude des « champs de vie ». Le Dr Burr a enseigné l'anatomie pendant quarante ans, et le Dr Northrup, la philosophie et le droit. Ils ont trouvé le moyen de mesurer les variations de potentiel électrique de tout organisme. Ils ont mis au point un voltmètre très sophistiqué, capable de mesurer l'intensité des champs électriques des organismes, sans leur retirer du courant. Année après année, ils ont enregistré les potentiels électriques des plantes, des animaux et des hommes.

Les Drs Burr et Northrup ont appelé ces champs électrodynamiques des champs de vie. Ils ont enregistré, heure par heure, toutes les variations de ces champs et les ont comparées à celles des champs électriques de la terre et de l'air. Ils ont mis en évidence un net parallélisme entre les champs de vie et les champs électriques de la terre et de l'air, montrant que les champs de vie variaient avec les modifications de l'environnement géophysique. Ces dernières suivaient à leur tour les variations régulières des cycles solaire et lunaire. Par exemple, l'analyse des variations des champs électriques autour des arbres près de leur laboratoire de New Haven donnait un tracé semblable à celui des cycles lunaire et solaire.

Les recherches de ces professeurs ont révélé que le champ de vie d'un système est un indicateur sensible de toute activité biologique. Il pourrait être utilisé pour prévoir une activité biologique. D'après Northrup et Burr, le champ de vie d'un système régularise la structure et la fonction d'un organisme. Voici sur quoi ils appuient leur théorie : la détermination des champs de vie de graines permet de prévoir la courbe de croissance, la taille et l'espérance de vie des plantes. La mesure des champs des œufs de grenouille non fécondés révèle le profil de leurs futurs systèmes nerveux. L'ovulation, la cicatrisation, les lésions des nerfs périphériques et même la prolifération des cancers sont liés à des champs électriques.

C'est en utilisant les principes de Burr et Northrup que le gynécologue Louis Langman a pu détecter certaines variations électriques chez des femmes qui par la suite ont été atteintes de cancers gynécologiques. D'autres gynécologues sont parvenus à montrer que des variations électriques précédaient l'ovulation, et que celle-ci se produisait, chez bien des femmes, non pas seulement à la moitié du cycle mais tout au long du cycle menstruel (le médecin tchèque, Eugène Jonas, a détecté cette même régulation capricieuse de l'ovulation par sa méthode astrobiologique).

Le Dr Leonard J. Ravitz, psychiatre, a appliqué la technique de Burr et Northrup à l'étude des variations de nature électrique chez des malades mentaux dans les centres psychiatriques des universités de Yale, Duke et de Pennsylvanie. Il a trouvé que toute maladie mentale s'accompagne d'une variation du champ électrique du patient. Souvent, le retour à la normale du champ électrique de celui-ci est le signe avant-coureur d'une guérison. Le Dr Ravitz a étudié les problèmes de l'hypnose, et trouvé qu'elle produit des modifications du champ électromagnétique des sujets. Il a prouvé ainsi l'existence d'un lien entre l'état de conscience et les champs électromagnétiques.

D'une manière générale, le Dr Ravitz a établi que les troubles du comportement sont le plus souvent liés à l'intensité du champ de vie du sujet. Il a découvert qu' « une nette élévation de l'intensité électrique avait précédé le changement de comportement de malades schizophrènes, qui passaient spontanément — fait rarissime — d'un état de repli sur soi-même à un état de comportement actif ». D'un autre côté, des problèmes physiques sont généralement fonction de la polarité du champ de vie (positif ou négatif).

Le Dr Ravitz a fait une autre découverte importante. Les champs électriques humains varient selon un cycle qui passe par un maximum ou un minimum lors de la nouvelle lune et de la pleine lune. On ne peut pas encore dire dans quel sens se font ces variations. Les variations d'intensité des champs électriques sont des indicateurs importants de l'humeur des individus. Si une mesure élevée indique l'hostilité et l'apathie, une mesure basse est le signe d'une nature bienveillante et égale.

La découverte de larges variations d'humeur lors de la nouvelle et de la pleine lune vient appuyer ma théorie d'une recrudescence de l'agressivité humaine à ces moments-là. La versatilité du tempérament, liée aux champs électriques individuels, signifie qu'il peut arriver à chacun d'entre nous de perdre la tête à ces moments-là. Les brutales élévations ou baisses d'intensité des champs électriques lors de la nouvelle ou de la pleine lune renforcent l'idée d'une réceptivité positive ou négative de l'organisme.

De nombreuses questions viennent alors à l'esprit. Quel rapport y a-t-il, par exemple, entre des variations électriques du corps et les hautes marées biologiques des liquides physiologiques internes? L'équilibre des liquides du corps est-il influencé par l'intermédiaire du système nerveux ou vice versa? Nous savons que le rapport entre ces deux éléments — champ électrique et marée biologique — peut provoquer des variations dans l'un ou l'autre sens. Pourquoi un champ de vie s'élève-t-il ou s'effondre-t-il brutalement? Comment se fait-il que chacun de nous puisse se trouver en état de réceptivité positive ou négative à chaque pleine lune?

Les expériences du Dr Brown ont éclairé le mystère concernant la réceptivité de toute forme de vie à l'environnement électromagnétique. L'individu est relié à son environnement par un continuum de champs électromagnétiques. Ces champs n'ont pas de limites nettement définies; ils fluctuent sans cesse. Pour démontrer la réciprocité des rapports entre deux organismes voisins soumis à des influences électromagnétiques variables, le Dr Brown a utilisé des graines de haricot séchées. Pourquoi ces graines? Parce que ce sont des organismes simples. Plongées dans un récipient, elles se gorgent d'eau. C'est là l'unique fonction de leur métabolisme. Cette absorption d'eau se fait selon un processus périodique qui passe par des positions extrêmes lors de la nouvelle et de la pleine lune.

La capacité d'absorption d'eau par la graine peut changer si l'on fait varier l'orientation du champ électromagnétique dans lequel on fait tourner la graine. Cette variation se fait au moyen d'une barre aimantée que l'on fait tourner sous la table où se trouve la graine immergée. On y parvient aussi en plaçant le récipient contenant la graine, sur une plate-forme pivotante et en faisant décrire à la graine un cercle passant par tous les points de la boussole. Ceci a pour effet de placer la graine dans des positions différentes par rapport au champ magnétique de la terre.

Quand deux graines sont dans le même récipient d'eau, des rapports remarquables s'établissent entre elles. Une graine s'imbibe d'eau et pas l'autre! En faisant ensuite pivoter les deux graines dans des champs magnétiques différents, on parvient à inciter la « graine sèche » à absorber de l'eau, mais pas la graine déjà « mouillée ». Ceci tend à prouver que des modifications de l'environnement, ne nous apparaissant pas, peuvent affecter des rapports réciproques entre deux individus d'une même espèce. Il va sans dire aussi que des messages électriques subtils sont transmis entre ces deux graines. Une communication invisible s'établit entre elles : le métabolisme de l'une est actif, celui de l'autre reste passif.

Ces expériences très intéressantes mettent en évidence la réciprocité fondamentale des rapports entre deux éléments d'une même espèce. Jusqu'à présent pour qualifier cette attraction (ou répulsion) mystérieuse entre deux individus étrangers, on a employé les termes de

« vibrations » ou « chimie ». Il semble que parler de
« physique » conviendrait mieux, et que l'expression
« magnétisme personnel » est celle qui se rapproche le
plus de la vérité de tels phénomènes interindividuels.

Les parapsychologues qui font des recherches sur la
communication extra-sensorielle devraient se tenir au
courant des travaux du Dr Frank Brown sur les graines
de haricot, exemple typique de perception extra-sensorielle. Il a montré que les systèmes électriques des
organismes vivants perçoivent directement les champs
électromagnétiques qui les entourent. Ceci, d'après le
Dr Brown, est inévitable puisqu' « il n'y a pas de frontière définie entre les champs électromagnétiques maintenus par le métabolisme d'un organisme et les champs
électromagnétiques de son environnement géophysique ».
D'autres chercheurs, comme le Dr Robert Becker de
l'hôpital de New York « Veterans Administration Hospital in Syracuse », ont prouvé que le système neuro-
électronique de tout organisme agit comme un récepteur
de signaux électromagnétiques.

Ce qui m'intéresse directement pour mes travaux, c'est
que les organismes vivants sont probablement capables
de percevoir les variations du champ électromagnétique
terrestre, dues au déplacement de la lune entre le soleil et
la terre. Ceci constitue bien une perception extra-
sensorielle.

Le Dr Brown insiste sur le fait que le principe
d'incertitude postulé par le physicien Werner Heisen-
berg jouera un rôle de plus en plus grand dans les
expériences biologiques. Les mesures expérimentales
possibles, grâce à des techniques très complexes, vont
affecter les processus biologiques mesurés. Nous pourrions bien ainsi modifier la matière vivante, objet même
de notre étude. Le Dr Brown ajoute : « Le résultat des
mesures des processus biologiques variera en fonction
des méthodes employées et des conditions dans les-

quelles ces mesures seront faites. Les différences ne seront pas négligeables. »

La théorie d'une continuité entre l'individu et l'univers dans lequel il se situe n'est pas nouvelle. Dans le langage métaphorique des saints et des mystiques de l'histoire, l'individu fait « partie intégrante de l'Univers », éprouve « un sentiment océanique ». L'existence d'une continuité entre nos champs électromagnétiques internes et ceux de notre environnement est le fondement scientifique subtil de cette « éternelle vérité ».

Nous ne devons pas oublier que, dans le domaine de la conscience, l'introduction d'une donnée nouvelle minime peut avoir des répercussions considérables. Des expériences de stimulations électriques du cerveau (S.E.C.) ont montré qu'une petite variation de potentiel peut bouleverser complètement le comportement d'un animal ou d'un individu. Dans le cas des champs électromagnétiques qui nous enserrent comme une toile d'araignée invisible, on néglige le médium au profit du message — parfois violent — transparaissant dans nos humeurs. La continuité entre l'homme et l'environnement n'est pas toujours sereine.

S'il est un rapport avec notre environnement dont nous aimerions bien nous passer mais que nous devons supporter, c'est le stress. Il a été établi que le stress psychologique et physique nous rend encore plus sensibles aux influences et aux forces subtiles de notre entourage. J'ai insisté sur le fait que ce sont les individus prédisposés à la violence qui ont le plus de chances d'être affectés par la lune (ces personnes ont en général un seuil d'acceptation du stress plus bas que les autres). Ils se trouvent exacerbés par le stress d'ordre social, psychologique et physique. Le stress est donc bien un facteur déterminant, à ne pas oublier dans notre étude.

Harry Rounds, biologiste à l'université de Wichita State, a étudié l'importance du stress. Il s'est intéressé à l'influence de la lune sur les comportements, en travaillant sur le sang des cafards. Il a découvert que des modifications dans leur sang apparaissaient selon les phases de la lune! Intrigué, il a poussé ses recherches plus avant, examinant du sang de cafard, de souris, et du sang humain, dans l'intention de détecter les substances chimiques responsables de l'accélération du rythme cardiaque. Sachant pertinemment que le stress est facteur déterminant du rythme des battements du cœur, le biologiste a séparé ses sujets d'expérience en deux catégories, ceux qui supportaient le stress et ceux qui ne le supportaient pas. Les facteurs d'accélération cardiaque existant chez les animaux ne supportant pas le stress se multipliaient nettement peu de temps *après* la nouvelle et la pleine lune. Tandis que dans le sang des animaux supportant le stress, ces mêmes facteurs d'accélération cardiaque disparaissaient aux périodes exactes où ils se multipliaient chez les animaux ne supportant pas le stress, c'est-à-dire disparaissaient après la pleine lune et la nouvelle lune. Sur le calendrier lunaire, aux moments mêmes où l'activité du sang des animaux stressés augmentait, celle des animaux non stressés tombait à 0.

Qu'est-ce qui affole le cœur des cafards immédiatement après la pleine et la nouvelle lune? Qu'est-ce qui provoque les mêmes réactions aux mêmes moments chez les souris et les hommes? M. Rounds répond : c'est la variation du champ électromagnétique terrestre sous l'action de la lune. Il est probable que l'attraction lunaire déclenche une accélération des battements du cœur d'un individu déjà agressé par une tension. La réaction opposée, celle des animaux non soumis au stress, est cohérente. Le stress est-il un facteur déterminant du passage d'un état de réceptivité négative à l'influence lunaire à un état de réceptivité positive?

En tout cas, il est maintenant prouvé que le cycle

lunaire peut exciter le cœur des animaux, de l'homme y compris, déjà stimulés par les circonstances. Des modifications de la quantité d'eau du corps humain et une accélération du rythme cardiaque rendent un individu plus susceptible de perdre son sang-froid s'il est placé dans une situation émotionnelle spécifique.

Les données statistiques de Harry Rounds ont fait apparaître sur la courbe dessinée des culminations situées deux ou trois jours après la nouvelle et la pleine lune. En fait ces quelques jours de retard correspondent au retard apparu sur la courbe des homicides du district de Cuyahoga ainsi que sur celle de l'activité des hamsters du Dr Brown. Wichita, où travaille le Dr Rounds, se trouve à une latitude plus élevée que le district de Dade et en dessous de Cleveland ou Evanston. Une fois de plus, il apparaît que le facteur géographique joue un rôle clef dans l'influence lunaire.

Deux autres études viennent corroborer notre théorie de l'effet lunaire sur le flux sanguin et notre hypothèse des marées biologiques. Le Dr Edson Andrews de Tallahassee a appris par le personnel hospitalier de son service que les saignements excessifs en cas de l'ablation des amygdales et des végétations surviennent surtout lors de la pleine lune et de la nouvelle lune. Le Dr Andrews décida de vérifier cette croyance populaire. Pour ce faire, il utilisa un échantillon statistique de plus de 1 000 cas. Il aboutit aux conclusions suivantes : les patients peuvent en effet saigner plus abondamment lors de la pleine *et* de la nouvelle lune. En élargissant son enquête, il a découvert que des crises d'hémorragies ulcéreuses se produisent plus fréquemment lors de la pleine lune. Ses travaux ont été reproduits par le Dr W.P. Rhyne d'Albany, en Géorgie, et par Ralph W. Morris, professeur de pharmacologie à l'université d'Illinois « University of Illinois School of Medicine ».

Le Dr Andrews fut si convaincu par les résultats de

ses recherches, qu'il menaça « de se reconvertir dans la sorcellerie, d'opérer seulement les nuits sans lune, et de consacrer ses nuits de pleine lune au romantisme ».

La tradition paysanne prétend qu'il est dangereux de castrer les animaux de la ferme en période de pleine lune à cause du saignement abondant. Dans l'ancienne tradition juive, les médecins tenaient compte des phases de la lune pour prescrire un plus ou moins grand nombre de saignées. Le Talmud mentionne que certains jours du calendrier lunaire hébreu — jours qui correspondent en gros à ceux de la pleine lune et de la nouvelle lune — il est dangereux de faire couler du sang.

Des observateurs attentifs, vivant au rythme du calendrier lunaire, ont donc constaté ces effets périodiques très importants dans la vie de tous les jours. Parce que nous suivons maintenant le calendrier solaire, nous continuons à ignorer des informations capables de sauver des vies.

Devant les résultats de ces expériences médicales, nous devons nous demander quel mécanisme est responsable de cela. Ma réponse à cette question difficile est d'ordre spéculatif et s'appuie sur ma théorie des marées biologiques. Les vaisseaux sanguins et les cellules ont des parois semi-perméables. L'eau du corps passe librement d'un compartiment de fluides à un autre. En période de haute marée biologique, à cause de l'engorgement des liquides du corps et de la pression au niveau des tissus, une redistribution plus équilibrée de ces liquides devient nécessaire.

Il est probable que l'eau sous l'action d'une pression plus forte est réabsorbée par le système circulatoire, ce qui provoque une augmentation de la masse sanguine et une tension artérielle plus élevée. Les individus atteints d'ulcères et dont les vaisseaux sanguins sont délicats et de faible texture ont alors tendance à souffrir d'hémorragies spontanées. Les patients opérés durant ces périodes sont sujets à des saignements plus abondants.

En conclusion, l'hypothèse des marées biologiques se trouve renforcée par des faits de sources diverses — que ce soit la tradition populaire ou la biologie expérimentale et ses techniques très avancées. Nous avons supposé que la lune affecte les rythmes fondamentaux de deux manières différentes. Elle exerce une attraction directe sur les fluides de l'organisme et perturbe le champ électromagnétique perçu par notre système nerveux.

On a démontré que notre état d'esprit change lors de la pleine et de la nouvelle lune. Si nous sommes nerveux et tendus, notre pouls bat plus vite, en cas de coupure, nous saignons plus abondamment. Ces deux derniers effets ont été constatés chez des individus normaux et appuyés par des données statistiques nombreuses.

Notre travail dans le district de Dade concernait des individus dont les comportements eux n'avaient rien d'ordinaire. Ils étaient violents et agressifs. La même périodicité lunaire a été mise en évidence. Je prétends que ces individus-là étaient incapables de contenir la pression supplémentaire que leur imposait une haute marée biologique.

Nous sommes à l'aube d'une appréhension nouvelle et globale de l'univers. Ce système implique que chaque élément de chaque organisme est en harmonie avec les cycles du cosmos. Cette idée est-elle vraiment si nouvelle? N'est-ce pas là ce que les anciens astrologues et les premiers astronomes appelaient la musique des sphères? Les savants sont en train de redécouvrir ce que les anciens connaissaient déjà. L'harmonie des astres n'exclut pas les dissonances célestes.

6

LA LUNE
ET L'ENVIRONNEMENT GÉOPHYSIQUE

*On peut considérer que la distorsion de la lune — le côté tourné
vers la terre est en forme de poire — résulte de l'attraction de la
terre. Donc, vous savez, si la terre peut déformer ainsi la lune
physique, vous pouvez imaginer ce que la lune fait à la terre. Il est
probable qu'elle affecte les êtres humains par la même occasion.*

JAMES IRWIN, astronaute ayant marché sur la lune.

Généralement on ne réalise pas bien que la force
d'attraction de la gravitation terrestre provoque des
tremblements de lune; de même la lune est en partie
responsable des tremblements de terre. Les marées
océaniques s'accompagnent de pressions sur l'écorce
terrestre. Quand la lune est au zénith au-dessus d'une
région de la terre, la lune attire les eaux et la terre de
cette région vers le haut, formant « un bombement de
marée ». En même temps, de l'autre côté de la terre, il se
produit le même bourrelet. Ceci se produit car ces points
de la planète, situés le plus près de la lune, subissent plus
fortement l'attraction de la force de gravité. La surface
des océans situés juste devant la lune est attirée vers la

97

lune plus fortement que le fond de l'océan à ces endroits, et de l'autre côté de la terre, aux antipodes, le fond des océans est plus attiré par la lune que la surface. Des bombements se produisent donc à la surface de la terre en ces deux endroits et là où il y a ce renflement sur la terre, il y a marée haute. A mi-chemin entre ces bombements, il y a marée basse. Etant donné les vitesses de rotation de la terre et de la lune, il y a 2 marées hautes et 2 marées basses par jour.

LES MARÉES

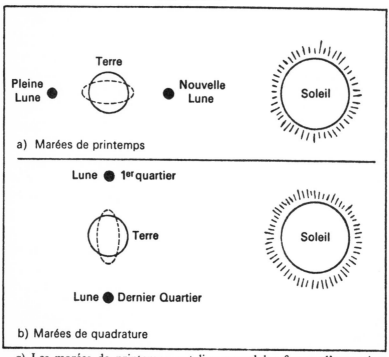

a) Les marées de printemps ont lieu quand les forces d'attraction lunaire et solaire se conjuguent pour provoquer des marées hautes et basses.

b) Les marées de quadrature ont lieu quand les marées hautes provoquées par le soleil s'ajoutent aux marées basses provoquées par la lune.

La lune déforme la terre comme une balle de caoutchouc. L'océan absorbe cette force de distorsion, en se répandant à l'entour, mais la terre est plus rigide. Elle ne peut se déformer ni aussi vite, ni aussi facilement que l'eau. La force de traction qui s'exerce sur la croûte terrestre parvient à déclencher des tremblements de terre. (Quand la lune est exactement au-dessus du continent américain du nord, celui-ci s'élève de 15 cm maximum.)

Dans leur ouvrage fascinant, *l'Effet Jupiter,* John R. Gribbin et Stephen H. Plagemann ont étudié l'action des marées qui déclenchent des tremblements de terre. « Une analyse statistique minutieuse des très nombreuses données sur les tremblements de terre montre que les marées agissent sur les tremblements de terre mais cet effet n'est pas d'une importance capitale en lui-même. Ce qui compte vraiment, c'est que cette étude prouve qu'on peut chercher l'origine des tremblements de terre ailleurs que sur la terre. » Plagemann et Gribbin redoutent le grand alignement des planètes prévu pour 1982 et le grand tremblement de terre qu'il risque de provoquer en Californie. (Cette coïncidence de planètes pourrait bien entraîner aussi des troubles du comportement humain.) Le sérieux de leur travail permet d'affirmer que notre environnement géophysique — y compris le sol sous nos pieds — est constamment affecté par des événements d'origine céleste.

Un élément de l'environnement terrestre qui nous concerne tout particulièrement est le temps atmosphérique. On soupçonne l'existence d'une action de la lune sur les intempéries, depuis longtemps, mais on ne l'a effectivement démontrée que depuis quelques dizaines d'années. En 1962, trois météorologistes — D. A. Bradley, M. A. Woodbury et G. W. Brier — ont fait paraître un article dans la revue *Science,* prouvant que les précipitations importantes suivaient une périodicité lunaire. Pour étudier les données chiffrées allant de 1900 à 1949 ils ont divisé le mois lunaire au moyen de l'échelle décimale synodique. Ils ont constaté « que l'Amérique du Nord avait tendance à recevoir des précipitations abondantes vers le milieu de la 1re et 3e semaine du mois synodique, et surtout entre le 3e et le 5e jour après les configurations de la pleine lune et de la nouvelle lune ». Une périodicité lunaire existe donc au niveau des précipitations, et les culminations arrivent juste après la pleine lune et la nouvelle lune.

Dans le même numéro de *Science,* deux savants australiens de Sydney, E. E. Adderley et E. G. Bowen, sont arrivés aux mêmes conclusions à partir de données fournies par cinquante stations météorologiques de Nouvelle-Zélande sur vingt-cinq ans. Ces auteurs croient que la périodicité lunaire ne peut pas encore être utilisée pour prévoir le temps. On ne peut pas expliquer, disent-ils, ce qui produit cet effet, et ils supposent que l'attraction lunaire pourrait modifier la quantité de poussière de météorites qui pénètre dans notre atmosphère et provoque des orages.

Pas étonnant que Adderley et Bowen se soient heurtés aux préjugés qui accompagnent toute théorie sur les effets lunaires. Pendant une période ils ont cessé de publier leurs résultats. Ils expliquent pourquoi : « Toute suggestion que nous aurions pu faire concernant l'effet de la lune sur les chutes de pluie n'aurait sûrement pas reçu l'accueil espéré. » Comme ils avaient raison!

La preuve attendue arriva en 1972. T. H. Carpenter, R. L. Holle et J. J. Fernandez-Partagas publièrent une étude dans la revue *Monthly Weather Review,* qui établissait une relation significative entre les phases de la lune et la formation d'orages et d'ouragans tropicaux. Les travaux précédents s'appuyaient sur la mesure des plus grandes chutes de pluie. Cette étude de 1972 était basée sur les orages les plus violents. A partir des mesures chiffrées des grands orages de l'Atlantique Nord et du nord-ouest du Pacifique, les chercheurs ont établi que les périodes de pleine et de nouvelle lune s'accompagnaient d'une augmentation du nombre des ouragans et des typhons : 20 p. 100 de plus que pendant les deux autres quartiers de lune. Leurs statistiques couvraient une période de soixante-dix-huit ans.

Tout le monde sait bien que le temps affecte l'humeur des individus. Il est fort probable que nous sommes plus moroses quand il pleut, et que nous avons le cœur léger quand le soleil brille dans un beau ciel bleu, c'est-à-dire un jour de haute pression. Y-a-t-il une coïncidence entre l'influence de la lune sur le temps et celle de la lune sur l'humeur des hommes? Nous savons si peu de choses sur les causes des effets que nous observons qu'il est terriblement tentant d'essayer de trouver des liens de cause à effet dans nos observations fascinantes.

Sheldon Geller et Herbert Shannon de Toronto pensent avoir découvert un rapport entre l'influence de la lune sur le temps et la bizarrerie des comportements humains. Ils ont baptisé leur découverte : « l'effet Transylvania ». Selon eux, la pleine lune en été « s'accompagne d'un temps humide et chaud très inconfortable qui agit sur le sommeil normal et sur les battements rapides des yeux pendant le sommeil. Il a été établi que l'absence de battements rapides des paupières est liée à des états psychotiques ».

Le fait que les périodes de pleine et de nouvelle lune soient des périodes de précipitations abondantes et de nombreux orages vient renforcer l'hypothèse d'un rapport entre la lune, le temps et l'humeur. Un autre cas d'effet indirect de la lune sur les rythmes biologiques normaux est celui qui affecte les battements rapides des yeux pendant le sommeil. On peut prendre l'étude des influences de la lune par plus d'un côté, semble-t-il !

John Cejka, de Cyclomatic Engineering, pense que

l'on sait assez de choses maintenant concernant les effets de la lune sur le temps pour faire des prévisions météorologiques à long terme. Il existe une corrélation entre les marées océaniques et les déplacements des masses d'air (le temps). Cette corrélation, écrit M. Cejka, se fait sentir effectivement quinze mois plus tard. Ce délai invariable est dû aux différences de densité entre l'air et l'eau. Ce long décalage limite la justesse de toutes prévisions météorologiques.

De telles incertitudes et de tels décalages dans le temps sont des caractéristiques de l'influence de la lune. Etant donné la complexité de ces décalages, la complexité du rapport entre la lune et le temps, les étranges décalages dans les statistiques sur les homicides, les variations de potentiels électriques chez les sujets d'expériences, le phénomène de la réceptivité positive et négative, étant donné tout cela, on doit attacher une grande importance aux processus intermédiaires, aux effets détonateurs, aux principes inconnus de mise en relation de plusieurs éléments afin de comprendre l'influence lunaire.

Comme je l'ai déjà souligné, les événements régulés par la lune le sont donc avec des décalages, selon la latitude du lieu. Plus l'événement considéré a lieu loin de l'équateur, plus long est ce décalage. On ne peut que se demander pourquoi l'influence de la lune sur le comportement se produit à des moments différents selon la latitude du lieu où elle se fait sentir. Quel fascinant champ de spéculation!

Du fait de la rotondité de la terre, un lieu situé au nord se trouve plus loin de la lune qu'un lieu situé près de l'équateur. On peut s'attendre à ce que l'intensité de la force de gravitation diminue quand la distance croît, mais comment expliquer le retard temporel de l'effet lunaire? Si l'on considère que l'attraction lunaire a un effet cumulatif, le retard commence alors à avoir un sens.

A une latitude septentrionale, un plus grand nombre de jours de marée de printemps devrait créer, de manière cumulative, un état de grande irritabilité nerveuse. Les effets des forces lunaires des marées sur les rythmes biologiques se trouveraient cumulés et atteindraient un seuil critique au moment même du déclin des forces lunaires des marées.

Il existe un semblable effet de retards cumulés que nous connaissons bien, c'est celui des saisons. Dans l'hémisphère Nord, le soleil est au plus haut dans le ciel, le 21 juin : date officielle du premier jour de l'été. Au cours des mois qui suivent le solstice d'été, il fait de plus en plus chaud, et pourtant le soleil descend de plus en plus dans le ciel. Ceci est dû au phénomène de rétention de la chaleur comme du froid dans l'atmosphère. Il faut des mois pour que le soleil, haut dans le ciel, réchauffe suffisamment l'air pour produire un temps estival. De même il faut des mois pour que la chaleur accumulée dans l'air se refroidisse au fur et à mesure que le soleil descend dans le ciel. Les effets lunaires sont-ils eux aussi cumulatifs ?

On a souvent observé ce phénomène : des événements périodiques se déclenchent à des moments qui varient avec la latitude du lieu. Léonard W. Wing a étudié le calendrier des cycles naturels, que ce soit la migration des oiseaux ou les fluctuations saisonnières des populations de rongeurs ; les cycles naturels se déclenchent avec de plus en plus de retard au fur et à mesure que l'on se rapproche de l'équateur. Malheureusement pour notre argumentation, ces retards vont dans le sens inverse des retards dus à l'influence lunaire. M. Wing a appelé « passage latitudinal » ces retards dus à la latitude.

La fluctuation des rayons cosmiques constitue un exemple de « passage latitudinal », c'est-à-dire un cas où un phénomène se déclenche de plus en plus tard au fur et à mesure qu'on va vers le nord. Il note ceci : comme les rayons cosmiques sont d'origine extra-terrestre, on dirait que leur comportement reflète le comportement de la ionosphère. L'attraction lunaire est bien sûr d'origine extra-terrestre. On peut dire que les décalages observés dans les comportements déclenchés par la lune constituent un autre exemple de passage latitudinal avec un retard dans le sens sud-nord. Nous savons que la ionosphère modifie les forces cosmiques telles que les radiations et les perturbations magnétiques, et nous savons aussi que le champ magnétique terrestre nous protège des radiations cosmiques. L'influence exercée par la lune se trouve-t-elle modifiée par les systèmes de protection de notre planète ?

On ne doit pas insister outre mesure sur l'importance de ce décalage en fonction de la latitude. C'est un effet mystérieux qui nous donne quelques indices, — à nous de les comprendre — sur le processus d'action du pouvoir lunaire. Ne pas en tenir compte conduit à des impasses. Les Prs Pokorny et Jachimczy, désireux de reprendre et renouveler nos recherches, ont cherché une corrélation dans les courbes des homicides des districts de Dade, de Cuyahoga et de Harris dans le Texas. Ils ne sont arrivés à aucun résultat statistique significatif. Nous aurions pu prévoir leur échec puisque nos travaux ont montré que les résultats variaient avec la situation géographique. Parce qu'ils n'ont pas tenu compte de la situation géographique, ils ne sont arrivés à rien. L'espace — comme le temps — est une variable critique dont toute recherche géophysique doit tenir compte.

Trop souvent on néglige la répercussion de notre environnement géophysique sur notre vie. Marshall McLuhan fait remarquer que l'on considère notre environnement comme une donnée qui va de soi. Les gens ne sont pas conscients des effets provoqués par notre environnement, car ces effets sont omniprésents. Pour bon nombre d'entre nous, quel fardeau cela serait de toujours penser aux champs magnétiques qui nous enveloppent, ou bien aux positions du soleil, ou bien aux phases de la lune!

Pour certains savants les variations de l'environnement terrestre constituent le travail de toute leur vie. Les disciplines auxquelles ils se consacrent ont pour nom : biométéorologie, météoropsychiatrie, héliobiologie. Même parmi ceux qui étudient les effets de notre environnement, il en est qui n'ont pas toujours conscience de l'environnement.

Et pourtant, la vie dépend d'effets diffus et subtils. Comme le prouve l'orientation spatiale de certains animaux : par exemple, les oiseaux, les poissons et les escargots. L'étude des migrations animales montre qu'ils savent déceler certains signes infimes de l'environnement électromagnétique terrestre. Ils se dirigent d'après des processus électriques et sont capables de s'orienter très exactement sur de très longs parcours. On a dit qu'ils étaient dotés d'une « boussole organique ».

Le Dr Brown a procédé à des expériences en laboratoire qui consistaient à troubler le sens de l'orientation de certains vers, leur boussole organique, en faisant subir au matériel expérimental une rotation de 180°, changeant ainsi l'orientation du ver par rapport au champ magnétique terrestre. Il est ressorti de cette expérience qu'un animal perçoit effectivement le champ magnétique de la terre et s'en sert pour s'orienter.

Le Dr Brown et ses associés ont montré ensuite que les insectes comme des animaux plus gros sont sensibles à des champs magnétiques comparables par leur intensité à celui de la terre. De plus, leur pouvoir de réaction varie avec le moment de la journée et avec la phase de lune. Des études menées par d'autres chercheurs ont montré que les abeilles, les mouches, les grives migratoires, les pigeons voyageurs et les gerbilles réagissent à des champs magnétiques dont l'intensité ne dépasse pas le géomagnétisme terrestre. Les oiseaux migrateurs sont capables de repérer leur itinéraire au moyen des champs magnétiques de l'environnement et au moyen des forces de la gravitation.

Si l'on attache un petit aimant au cou d'un pigeon voyageur, il perd son chemin. Si l'on inverse l'orientation du champ magnétique dans un petit solénoïde fixé sur sa tête, on peut bouleverser son itinéraire de vol. Le Dr Brown en a conclu qu'un organisme vivant a la capacité de se servir d'une composante géophysique aussi subtile que le magnétisme pour discerner une direction géographique. Cette perception du magnétisme n'a pas pour seule application la capacité d'orientation, il semble qu'elle ait aussi une fonction de régulation.

Un renversement de champ magnétique de 180° peut provoquer des modifications radicales dans les rythmes biologiques de certains organismes vivants. D'où il résulte qu'une modification d'ordre spatial de l'environnement d'un organisme vivant peut avoir des répercussions sur la périodicité de ses rythmes biologiques. giques.

Les facteurs capables d'influer sur le magnétisme terrestre et, par contrecoup, sur la vie organique, sont nombreux. La lune est, à coup sûr, un de ces facteurs. Elle affecte le champ magnétique terrestre de deux manières : elle possède un champ magnétique propre, et d'aussi faible intensité qu'il soit, il provoque une fluctuation rythmique du champ magnétique terrestre ; celui-ci se trouve aussi influencé d'une manière indirecte par la lune. Elle agit sur le temps qui, à son tour, perturbe l'électromagnétisme terrestre.

Un savant soviétique pense que la lune pourrait bien être la responsable des disparitions d'avions qui se produisent dans le funeste triangle des Bermudes. Pour

A. I. Yelkin du Moscou Institute of Building Engineers, les marées lunaire-solaire perturbent le champ magnétique terrestre au fond de l'océan, provoquant un dérèglement des boussoles des avions, le résultat de ces lectures fausses est souvent tragique. Le diagramme établi par M. Yelkin sur les disparitions d'avions dans l'Atlantique montre qu'elles se produisent essentiellement lors de la pleine lune, de la nouvelle lune ou lorsque la lune est au plus près de la terre.

Klaus Peter Ossenkopp de l'université du Manitoba a entrepris une vaste recherche dans le domaine des influences géophysiques sur le comportement humain. Il écrit : « La lune semble avoir une influence incontestable sur la formation des intempéries et ces modifications de conditions météorologiques semblent être les signes indicateurs de champs électriques et magnétiques ambiants qui, nous l'avons vu, ont une influence à leur tour sur le comportement animal. »

A l'heure actuelle, il est évidemment impossible de réaliser en laboratoire des conditions expérimentales constantes. Même si un organisme est enfermé dans un container de plomb et enfoui profondément dans la terre, les forces géophysiques infimes que sont la gravité et l'électromagnétisme s'exercent sur lui. L'ensemble des informations diverses qui atteignent l'organisme sous forme de forces subtiles contient des indications sur les levers et les couchers de la lune comme du soleil, ainsi que sur la longitude céleste de la terre.

Les organismes vivants semblent être étroitement et constamment unis à leur environnement. L'organisme lui-même est une entité dynamique, électromagnétique, ses champs magnétiques et ceux de l'environnement forment un continuum. Un des pionniers dans le domaine des rapports dynamiques entre la vie et l'environnement est le regretté William F. Petersen, professeur de pathologie à l'université de Chicago, la

Illinois School of Medicine. De 1920 à 1950, soit trente ans, il a mené des recherches laborieuses révélant que les rythmes biologiques humains sont liés aux données atmosphériques. Il a trouvé que les rythmes humains et les variations du temps suivaient les fluctuations naturelles des rythmes solaire, lunaire et stellaire.

A l'époque des recherches du Pr Petersen, la médecine officielle traitait les recherches de biométéorologie avec indifférence. Il ne reçut pratiquement aucune aide financière. Il a effectué une de ses expériences les plus importantes sur des vrais triplés, alors étudiants en médecine à l'université d'Illinois. Il étudia l'ensemble de leurs réactions biochimiques et physiologiques. Chaque fonction étudiée a été matérialisée par un diagramme. Il y avait une corrélation entre les diagrammes et les principales fluctuations météorologiques du lieu. On pouvait lire sur ces diagrammes l'arrivée de fronts chauds ou froids, les orages, les changements de pression barométrique. Le Pr Petersen a donc réussi à associer l'apparition de troubles psychologiques et de maladies à des changements de conditions météorologiques. Il a aussi mis en évidence le rapport existant entre les marées atmosphériques et les variations de rythmes biologiques chez ces triplés.

Le Dr Petersen a été conduit à penser que le facteur critique affectant les rythmes physiologiques et météorologiques était la qualité de l'oxygène se trouvant dans l'atmosphère. A ma connaissance, aucun travail n'est encore venu corroborer cette hypothèse. Cette idée sur l'oxygène mise à part, ses résultats statistiques demeurent et ont été confirmés depuis par d'autres travaux.

Pour continuer ses recherches sur les rythmes biologiques, à un niveau général et non plus individuel, le Dr Petersen a observé les données statistiques concernant les naissances, les décès, les suicides, les troubles psychotiques, la répartition des sexes masculins et féminins chez les nouveau-nés. Il a comparé la courbe des décès à celles des troubles psychotiques nécessitant des internements psychiatriques, puis à celle des naissances, et à celle des changements du temps. Il a trouvé une corrélation entre les marées atmosphériques et les rythmes des naissances, des décès et des perturbations psychotiques. Le Dr Petersen en a conclu que l'ensemble de la population ayant fourni ces données statistiques réagissait aux forces cosmiques, le temps atmosphérique servant d'intermédiaire entre le cosmos et l'individu.

Le Dr Petersen a essentiellement montré les rapports entre les rythmes individuels et collectifs et le cycle des taches solaires. Il s'est aussi intéressé aux périodicités lunaires. C'est le lauréat danois du prix Nobel, Svante Arrhenius, qui l'a inspiré dans ses recherches. L'article de ce dernier : « Influences cosmiques sur les phénomènes physiologiques », publié en 1898, a servi de base de départ aux recherches scientifiques modernes étudiant les effets cosmiques sur les organismes humains. Arrhenius a montré qu'il existe une influence indubitable et nette des rythmes lunaires sur les décès, les naissances, les menstrues, les crises d'épilepsie et le potentiel électrique de l'atmosphère. Le Dr Petersen a pu identifier des rythmes lunaires dans les échantillons statistiques suivants : naissances et décès enregistrés à New York et Chicago, cas de scarlatine et d'épilepsie, décès par défaillance cardio-vasculaire, décès par tuberculose et suicides. Il a découvert que des garçons naissaient en plus grand nombre aussitôt après la pleine lune, et les filles au moment de la nouvelle lune.

Le Dr Petersen a conclu ceci : « La distorsion périodique de l'écorce terrestre et de la surface des océans en fonction des différentes positions de la lune est un phénomène marquant. Il est possible qu'une telle pression se traduise par des variations au niveau de la répartition des tensions des fluides dans l'organisme, et s'exprime au niveau clinique par une altération du fonctionnement des organes et des tissus sensibles qui se trouvent ainsi mis en état de déséquilibre. Les individus normaux restent insensibles au phénomène de marées affectant les fonctions de leurs propres corps. Ce n'est que dans le cas où l'amplitude de ces marées est excessive, ou quand le choc produit est trop soudain, que nous n'avons pas le temps de rétablir l'équilibre et que nous tombons malades. »

Le Dr Petersen est maintenant reconnu comme un des fondateurs de la biométéorologie. Il a été un des premiers chercheurs à avancer l'idée que l'homme est un résonateur cosmique — bien que ce concept soit en réalité très ancien. Il a insisté pour présenter son œuvre comme un travail de redécouverte. L'organisme humain dépend de l'environnement dans lequel il est intégré, qui à son tour dépend des rythmes de l'univers. Le terme choisi par le Dr Petersen, la cosmobiologie, est idéal pour décrire cet ensemble d'interactions.

Les Russes ont approfondi la science cosmobiologique qu'est l'héliobiologie. Elle consiste en une étude du soleil et de ses influences sur la vie terrestre. Des études montrent des corrélations entre les cycles des taches solaires et des événements aussi divers que : accidents, épidémies de peste, rendements agricoles, maladies virales, maladies de cœur. La corrélation entre le cycle des taches solaires de 11 ans et des événements de ce genre a été faite par des spécialistes du monde entier.

En 1915, le savant russe Chizhevskii a été le premier à se lancer dans l'étude systématique des rapports existant entre certains phénomènes biologiques et des variables cosmiques. Il a découvert des parallèles entre les variations de l'activité solaire et les variations électrocol-loïdales dans le sang, la lymphe et le protoplasme cellulaire d'animaux, et la croissance de cultures de

110

bactéries. On a découvert plus tard que le bacille diphtérique était moins toxique les années d'activité solaire maximale et qu'il ressemblait alors plus à une bactérie inoffensive.

En 1935, des savants japonais ont observé un rapport entre l'activité solaire et le taux de formation de caillots dans le sang humain. Quand des taches solaires traversent le méridien central du soleil, le taux de formation de caillots dans le sang fait plus que doubler. Ceci est lié au temps de rotation du soleil (27 jours) et au cycle de 11 ans d'activité solaire. En 1958, après une étude portant sur près de quinze mille cas, on a montré que le nombre des globules blancs diminue en période d'activité solaire, le nombre des lymphocites, lui, augmente. Cet effet s'accompagne d'une caractéristique géographique, il est très net dans les régions polaires, et pratiquement inexistant sous des latitudes équatoriales. (A cause de la structure du champ magnétique terrestre, les ceintures de Van Allen protégeant la terre des radiations cosmiques sont trouées aux pôles — les pôles se trouvent ainsi moins bien protégés des radiations cosmiques.)

On sait depuis longtemps que la population d'un grand nombre d'organismes vivants croît par cycles, durant une période de près de 11 ans. Ce caractère cyclique a été observé chez certaines algues marines et chez certains animaux coralliens, ainsi que chez certains poissons, insectes et certains mammifères. Au cours du siècle dernier, on a trouvé une corrélation entre une recrudescence des taches solaires et l'apparition de plusieurs maladies. Chizhevskii a montré à la fin de l'année 1930 que des cas de peste, de choléra, de grippe et de diphtérie et autres maladies infectieuses coïncidaient avec des périodes de grande activité solaire.

Les périodes d'explosions solaires et de taches solaires s'accompagnent sur terre de nombreux orages. L'héliobiologiste soviétique, Alexander Dubrov, croit au rapport existant entre des variations du champ magnétique terrestre et des troubles cardio-vasculaires. Le rapport, dit-il, se situe au niveau de la capacité du champ géomagnétique de provoquer « des changements très nets de la perméabilité des vaisseaux sanguins ». Ces changements, dit le Dr Dubrov, sont dus à l'influence d'une substance « magique », l'eau. « Apparemment, il se produit des modifications au niveau des molécules d'eau contenues dans les membranes. »

Cette découverte biologique est d'une extrême importance — un si grand nombre d'échanges vitaux de notre corps se font au niveau des membranes que l'on pourrait élaborer une longue suite de conséquences de cette influence cosmique! Et le Dr Dubrov de conclure : « Le champ géomagnétique qui contrôle la perméabilité des membranes exerce une influence déterminante sur tous les processus chimiques au niveau des cellules vivantes de l'organisme et finalement de toute la biosphère. »

Sa découverte m'a frappé comme la foudre. Ma théorie des marées biologiques s'appuie sur les échanges d'eau, sur le libre passage de l'eau d'un compartiment de fluides physiologiques à un autre compartiment — échanges contrôlés par les membranes. Si la perméabilité de ces membranes est contrôlée par le champ magnétique ambiant, et si la lune a une influence sur le champ magnétique terrestre, on établit l'existence d'une possible relation de cause à effet entre la lune et les équilibres en fluides du corps humain. Si la perspicacité du Dr Dubrov se trouve confirmée, il aura contribué à l'établissement de la théorie des marées biologiques. Ses travaux peuvent s'appliquer à de nombreux domaines de la biologie. Sa découverte de l'existence d'un effet du champ géomagnétique sur l'hérédité est de la plus haute importance également.

Comme nous venons de le voir, les résultats d'Alexander Dubrov l'ont conduit à croire que des champs magnétiques peuvent provoquer des modifications des molécules d'eau. L'eau, substance d'apparence si simple, peut être modifiée de façon surprenante. L'inconsistance de la nature de l'eau a intrigué le regretté Pr Georgio Piccardi, ancien directeur de l'institut de chimie-physique à Florence en Italie. Il s'est intéressé à la question quand on lui a demandé de trouver un moyen permettant de nettoyer les dépôts de calcaire dans les chaudières industrielles. Le Dr Piccardi a d'abord traité, ou activé de l'eau, puis l'a utilisée pour dissoudre les dépôts. Ce procédé était efficace, mais pas tout le temps. Utilisé à des moments différents, dans des endroits différents, il faisait plus ou moins d'effet. Le Dr Piccardi, intrigué par cette irrégularité, a poussé son étude de l'eau plus avant.

Il a installé des éprouvettes d'eau distillée dans son laboratoire, la moitié d'entre elles est restée ouverte à l'air libre et la deuxième moitié a été entourée de grillages métalliques. Dans tous les tubes, il a ajouté de l'oxychloride de bismuth, un composé chimique qui a formé un précipité colloïdal dans l'eau.

Le Dr Piccardi a trouvé que les précipités des tubes entourés de métal étaient très nettement différents des autres. Pendant des années, il a procédé à une triple mesure quotidienne des substances colloïdales des précipités en faisant varier les conditions expérimentales. Il a utilisé de l'eau purifiée et de l'eau activée. Les précipitations colloïdales variaient avec l'activité solaire, les phases de la lune, les radiations cosmiques, les mouvements des planètes par rapport à la terre, et autres événements cosmiques. Le Dr Piccardi a déduit, de tels résultats, que les variations des précipités colloïdaux suivaient celles du champ magnétique terrestre. Comme le Dr Dubrov, il a trouvé que le champ magnétique était le médium au moyen duquel les événements cosmiques exerçaient une influence sur les propriétés physiques de l'eau. Dans ce cas, il était naturel de conjecturer que si l'eau pouvait assumer des états physiques différents selon les variations naturelles des champs géomagnétiques ambiants, l'eau contenue dans les solutions colloïdales (qui constitue la majeure partie des organismes des animaux et végétaux) pouvait être affectée de la même manière par les phénomènes cosmiques. Si ces phénomènes provoquent d'importantes modifications des précipités, il ne fait aucun doute que les fluides d'un organisme humain ou animal sont affectés de la même façon. Ceci constitue une importante découverte pour la théorie des marées biologiques.

Une modification des propriétés physiques des fluides physiologiques provoque des modifications de la rétention des fluides, de la vitesse du passage des fluides au travers des membranes, de la pression sanguine et du rendement cardiaque. La capacité d'absorption d'eau des cellules, la conduction électrique dans les tissus et la propagation de l'influx nerveux se trouvent affectées à leur tour. L' « effet Piccardi » sur l'eau suggère que les phénomènes cosmiques peuvent affecter des processus vitaux de l'organisme par l'intermédiaire des champs électromagnétiques.

Le Dr Piccardi a décelé des propriétés physiques différentes de l'eau et des solutions colloïdales sous des latitudes différentes. Cette observation peut s'avérer importante pour éclairer le phénomène du passage latitudinal. Les travaux du Dr Siegnot Lang, de l'université de la Sarre en Allemagne, viennent renforcer les concepts du Dr Piccardi. Le Dr Lang s'est attaché à déterminer quels effets les champs électrostatiques produisent sur la physiologie et le comportement des rats et des souris. Les mécanismes physiologiques et le comportement d'animaux placés dans une cage de Faraday — qui les protège à 99 p. 100 de l'action des forces électrostatiques terrestres — ont été modifiés d'une manière spectaculaire. La rétention des fluides de leurs organismes et leurs poids ont augmenté considérablement. Des modifications importantes ont été constatées aussi au niveau de la régulation hormonale, des échanges chimiques de leur corps et de l'irritabilité neuromusculaire. La cage de Faraday constitue une interférence artificielle provoquée par l'homme dans les champs électromagnétiques entourant les cobayes. Le Dr Lang a ainsi recréé une perturbation cosmique au niveau de son laboratoire. On vient donc de remarquer que toute modification des propriétés physiques des fluides physiologiques des animaux a pour conséquence des modifications importantes du métabolisme des fluides et des électrolytes. Toute interférence dans les forces électromagnétiques naturelles ambiantes crée chez les animaux un effet Piccardi et, par suite, une haute marée biologique artificiellement induite.

Des recherches portant sur l'influence de l'environnement géophysique sur le comportement se sont récemment multipliées. Mais nous ne sommes qu'au début de nos peines. La plupart des travaux entrepris soulèvent plus de questions qu'ils n'apportent de réponses. Cette étape est caractéristique d'un champ d'investigations grandissant. En 1963, le Dr Robert Becker a montré par des graphiques qu'il existait une corrélation entre les entrées en hôpital psychiatrique et les orages solaires (ou des perturbations au niveau du rythme des taches solaires). Plus tard, il a montré une corrélation entre les perturbations géomagnétiques et les troubles du comportement chez des malades mentaux ; puis il a étudié les effets des champs magnétiques sur les temps de réaction et les performances d'êtres humains. Les résultats obtenus ont montré que des modulations de champ magnétique peuvent affecter nettement le temps de réaction des individus et donc la capacité humaine d'effectuer des tâches. De plus, le comportement des malades mentaux est en corrélation avec l'activité du rayonnement cosmique. (Les rayons cosmiques sont susceptibles de mesures qui peuvent être rapprochées de l'activité géomagnétique ambiante. Le champ magnétique terrestre nous protège des radiations cosmiques dangereuses. L'intensité de cette radiation reçue par la terre donne une idée de la force relative du champ magnétique terrestre.)

En 1968, R. Bokonjic et N. Zec, médecins à l'université de Sarajevo en Yougoslavie, ont établi qu'il existait un rapport entre des comportements de crise et des variations de la pression atmosphérique, de la température et de l'hygrométrie ambiantes.

Le Dr Floyd Dunn, enseignant la technique électrique et l'électrobiophysique à l'université d'Illinois et John Green, des laboratoires Bell, ont établi une corrélation entre des accidents automobiles et des infrasons. Un infrason est une vibration de fréquence extrêmement basse et inaudible pour l'homme. Les infrasons, bien qu'ils soient en dessous de notre seuil de perception auditive, nous affectent cependant de bien des façons. Quand ils sont d'une intensité modérée, ils créent en nous une agitation et un malaise. D'après l'étude de Dunn et Green, ils seraient à l'origine de la recrudescence du nombre des accidents. Des infrasons de haute intensité peuvent désintégrer des tissus vivants et donc provoquer la mort. Fort heureusement, les infrasons naturels diffus et subtils n'atteignent pas ce niveau fatal. On pense qu'ils résultent d'orages magnétiques provoqués par des perturbations solaires.

Le Dr Félix Gad Sulman a montré qu'une agitation et une irritabilité plus grandes chez les hommes et les animaux accompagnaient les périodes de vents chauds et secs, tels le Sharav, le fœhn, le sirocco ou le harmattan. Dans les régions plates entourées de montagnes sur trois côtés, quand souffle l'un de ces « mauvais vents », les troubles et les décès augmentent chez les individus très émotifs et de faible constitution. Dès que souffle le vent nocif, l'équilibre en ions de l'atmosphère semble modifié. Les ions positifs en excès se cantonnent au ras du sol. D'après les recherches du Dr Sulman, en Israël, et du Dr Albert P. Krueger de l'université de Berkeley, en Californie, les ions positifs en quantité excessive provoquent dans le corps une plus grande production de sérotonine. Un excès de sérotonine peut déprimer ou irriter un individu. Si celui-là est déjà très émotif par nature, cet effet peut avoir des conséquences très graves. (Inversement, un excès d'ions négatifs apporte une sensation de bien-être.) L'eau qui tombe en chute génère des ions négatifs. C'est pourquoi, nombreux sont ceux qui aiment prendre des douches interminables, ou bien se trouver près de grandes chutes d'eau comme celles du Niagara.

Les gens qui vivent dans les régions où soufflent ces mauvais vents expliquent les comportements étranges et les humeurs maussades en disant sans arrêt : « C'est à cause du vent. » Quand il souffle, certains chirurgiens refusent d'opérer, sauf cas d'urgence, trouvant la période trop néfaste. Au niveau du temps, l'approche d'une basse pression s'accompagne aussi d'une concentration d'ions positifs. Qui n'a pas ressenti une étrange impression à l'approche d'un orage ?

Le temps trouble donc l'équilibre en ions de l'atmosphère, mais il produit aussi, comme nous l'avons déjà dit, des perturbations électromagnétiques. Celles-ci prennent la forme de champs électromagnétiques de très basse fréquence. Klaus Peter et Margitta Ossenkopp, déjà cités, ont supposé que les variations électromagnétiques, indirectement liées au cycle lunaire, avaient un retentissement sur le comportement humain. Ayant mis en évidence une corrélation entre le cycle lunaire et les blessures volontaires que s'infligeaient les femmes de leur corpus, ils se sont demandé si le système hormonal féminin était particulièrement sensible à ce type de variations de champs électromagnétiques de très basse fréquence.

Des ondes de très basse fréquence pourraient résulter de l'influence de la lune sur le champ magnétique terrestre ou, bien sûr, le temps atmosphérique. L'équipe Ossenkopp écrit : « Si les ondes de très basse fréquence, dues aux perturbations atmosphériques, ou bien peut-être aux particules d'énergie libérées par le sillage magnétique terrestre à certains moments du cycle lunaire, rompent, dans un sens ou dans un autre, l'équilibre hormonal des femmes, un peu comme le font les menstrues, alors ceci peut bien expliquer les cas rencontrés dans notre étude. » (Rapports entre les blessures volontaires chez les femmes et le cycle lunaire.)

Cette hypothèse des Ossenkopp, d'une influence de la lune sur le « sillage » magnétique de la terre, est une hypothèse fascinante. C'est pendant la pleine lune que des pluies de particules d'énergie peuvent survenir. « Lors de la pleine lune, la lune passe dans le sillage de la terre et y reste pendant environ quatre jours. » Les spécialistes ont pensé que ce phénomène pouvait bien avoir des conséquences sur la fréquence de faits aussi différents que des actes volontaires d'autodestruction et des orages.

Les météorologistes pensent que l'attraction lunaire modifie la quantité de poussières de météorites qui pénètrent notre atmosphère. En vérité, la lune perturbe d'autres phénomènes cosmiques agissant sur notre planète. Si, par exemple, la lune fait obstacle aux radiations venant du soleil (vent solaire), le bombardement cosmique se trouve arrêté pendant un court moment. C'est là probablement un « effet mineur » mais non négligeable, si nous nous souvenons qu'au niveau de la recherche de semblables effets mineurs peuvent être d'une importance considérable.

Le Dr Robert Becker (dont nous avons déjà mentionné les travaux concernant les admissions en hôpital psychiatrique et le cycle des taches solaires) a été un précurseur dans l'étude des effets électromagnétiques particulièrement subtils. Le Dr Becker enseigne la chirurgie orthopédique à l'université de Syracuse, il fait aussi de la recherche au Veteran's Administration Hospital de Syracuse. Dans les années 50, il s'est intéressé aux premières découvertes de Burr sur les différences de potentiel électrique qui existent entre les tissus malades et les tissus sains des blessés de la guerre du Vietnam. Il a entrepris une étude approfondie des propriétés électriques du processus de cicatrisation des plaies. Au début de ses recherches, il a trouvé des variations électriques au niveau du tissu fraîchement régénéré. Il a appelé cela le « courant de la plaie » et montré son rôle dans la cicatrisation et la régénération des tissus lésés. Les différences de potentiel électrique entre les tissus sains et les tissus lésés sont peut-être ce que le procédé photographique Kirlian a mis en évidence et qu'on a appelé « les champs d'énergie ».

Le Dr Becker a montré que le tissu nerveux produit un courant électrique direct infime. Il est parvenu à déceler la production de mini-courants électriques au niveau des gaines des nerfs périphériques et des cellules gliales et syncytiales qui entourent et soutiennent les nerfs du système nerveux central (l'encéphale et la moelle épinière). Ces courants électriques existent indépendamment du système des potentiels d'actions qui conduit l'influx nerveux le long des fibres nerveuses elles-mêmes.

Le Dr Becker croit que ce système d'émission directe de courant électrique est antérieur — du point de vue de l'évolution — *au système des potentiels d'actions* et

119

pourrait bien être en fait à l'origine de celui-ci. Le tracé des systèmes électriques de potentiels dans tous les organismes a révélé que les lignes électriques de force suivent un schéma identique à celui des structures neurologiques de l'organisme.

Le Dr Becker a émis, à la suite de ses travaux, une théorie sur le développement et le fonctionnement du système nerveux. Il pense que la conduction électrique se fait selon un procédé hybride. D'un côté, le développement et la croissance du système nerveux comme du cerveau lui-même et les échanges cellulaires de l'organisme se font par l'intermédiaire d'un courant direct. Ce système d'émission directe de courant a des propriétés semblables à celles d'un ordinateur analogique fonctionnant sur le principe des semi-conducteurs solides. D'un autre côté, le système des potentiels d'actions qui conduit l'influx nerveux le long des fibres nerveuses. Il fonctionne comme un ordinateur digital.

Le Dr Becker a trouvé que les deux systèmes se trouvent réunis en des points précis du réseau neurologique : des nodules amplificateurs. C'est au moment du passage par ces nodules amplificateurs que des variations du système d'émission directe de courant électrique peuvent amplifier ou moduler le cheminement des potentiels d'actions le long des fibres nerveuses. Ces nodules amplificateurs correspondent aux points d'acupuncture identifiés, localisés et décrits dans la littérature médicale traditionnelle et moderne.

Le Dr Becker suggère que c'est par ce système d'émission directe de courant électrique que nous sommes sensibles à toutes les variations de l'environnement électromagnétique. C'est ce système qui reçoit les stimuli accompagnant une lésion ou une blessure que nous percevons sous la forme d'une douleur — et qui contrôle les différents processus de réparation, y compris celui de la régénération osseuse. Il est par sa nature susceptible de perturbations sous l'action de champs magnétiques et électriques. Il faut chercher dans l'existence et le fonctionnement de ce système d'émission directe de courant la solution permettant d'expliquer le lien existant entre les cycles biologiques et les cycles géomagnétiques, en interaction au niveau des nodules amplificateurs.

Bien entendu, nous n'avons pas conscience des effets de l'environnement sur ce système, c'est pourquoi son fonctionnement reste pour nous un mystère. Si la théorie du Dr Becker s'avère, elle nous permet de comprendre la boussole biologique, le fait que les orages magnétiques et les taches solaires perturbent notre santé et notre comportement, et l'influence de la lune sur notre système nerveux. D'après le Dr Becker : « L'effet de la lune sur les organismes vivants est un phénomène du deuxième degré dû à la position de la lune dans le système géophysique, terre, lune, soleil. Ce système produit des modifications cycliques du champ magnétique terrestre. »

L'essentiel des recherches du Dr Becker portait sur la cicatrisation des blessures et la régénération osseuse. Il a étudié à titre de thérapeutique expérimentale l'emploi de faibles courants électriques générateurs de champs magnétiques d'intensité réduite. Il pense que cette technique est un simple coup de pouce donné au processus naturel de cicatrisation, puisque celui-ci emploie aussi des courants électriques produits biologiquement. Malgré le succès certain de cette technique, le Dr Becker conseille de s'en servir avec prudence car tous ses effets ne sont pas connus.

Dans les années 50, quand les résultats du Dr Becker furent publiés, ils soulevèrent les quolibets de ses confrères. Mais depuis, ses vues sont de mieux en mieux acceptées dans les milieux médicaux.

De la même façon, les découvertes des savants

soviétiques dans des domaines voisins, ont d'abord été accueillies avec hostilité. En partie à cause du climat politique de guerre froide et en partie parce que les Russes ont étudié à fond des domaines scientifiques que les savants américains jugeaient sans importance. Nous commençons maintenant à réaliser que les Russes ont accumulé de grandes connaissances sur l'environnement géophysique.

Les savants russes ont appris que le fonctionnement biologique des plantes, des animaux et des êtres humains se trouve affecté par des champs électromagnétiques produits artificiellement, et d'une intensité proche de celle des champs qui entourent notre planète. Le processus de la croissance (entre autres) est affecté par les variations des champs électromagnétiques ambiants. Ces champs ont aussi un effet sur la structure cellulaire des plantes et des animaux; ils agissent sur l'agencement des cellules. Ils peuvent donc jouer un rôle vital sur la vie et son évolution *.

Les effets produits par les champs magnétiques de faible intensité n'ont rien à voir avec les effets thermiques et destructeurs des radiations électromagnétiques de grande intensité que sont les rayons X, les rayons gamma et les ondes radio de très haute fréquence. Les effets multiples étudiés par le Dr Presman résultent de champs de faible intensité, de l'ordre de celle des champs électromagnétiques naturels. Il émet l'hypothèse suivante : de tels champs sont porteurs d'informations destinées à l'organisme, parmi d'autres organismes séparés, même à l'intérieur de notre corps.

Les êtres vivants sont le jouet constant des variations

---

* La plupart des données statistiques exploitées par les Russes ne nous ont été transmises que récemment. Le livre de Aleksandr S. Presman, *les Champs électromagnétiques et la vie*, traduit au début des années 60, renferme la majorité de ce que nous savons sur l'état des recherches effectuées en laboratoire par les Russes dans ce domaine.

122

turbulentes des champs électromagnétiques naturels ambiants. Ces « parasites » sont provoqués par l'activité des taches et des éruptions solaires, ou par des coïncidences de cycles planétaires. On a établi que les variations périodiques des champs électromagnétiques naturels ambiants ont un effet régulateur sur des fonctions vitales — par exemple, sur le rythme des principaux processus physiologiques, sur la capacité des animaux à s'orienter dans l'espace et sur la multiplication des populations. Au niveau des organismes vivants, les systèmes capables de recevoir les informations transmises par les champs électromagnétiques sont protégés des interférences électromagnétiques naturelles. Dans le cas des états pathologiques, les perturbations spontanées des champs électromagnétiques (éruptions solaires et décharges d'éclairs, par exemple) bouleversent la régulation des processus physiologiques. Il est prouvé que tout au long de leur évolution les organismes humains se sont servis des champs électromagnétiques pour en tirer des informations sur les changements dans leur environnement naturel. C'est au moyen de ces champs électromagnétiques que des informations peuvent circuler quelles que soient les conditions météorologiques et quelle que soit la situation de l'organisme vivant.

Ce concept du Dr Presman, l'effet régulateur des champs électromagnétiques naturels, constitue un hommage rendu à Frank Brown pour sa théorie sur la temporalité extrinsèque des rythmes biologiques ainsi qu'à ma théorie des marées biologiques. On ne sait pas exactement comment les champs électromagnétiques transmettent des informations. On peut penser que les perturbations physiologiques résultent de l'action directe des champs électromagnétiques sur le système nerveux. (Cette probabilité renforce l'idée du Dr Becker qu'il existe des nodules amplificateurs et récepteurs dans le

123

système nerveux.) Pour le Dr Presman, la partie centrale du système nerveux, le cortex cérébro-spinal et l'hypothalamus, sont particulièrement sensibles aux champs électromagnétiques.

Un appareillage très complexe récent, utilisé d'abord dans la recherche spatiale, permet de déceler les champs électromagnétiques de très faible intensité existant autour des nerfs moteurs, des muscles et du cœur des animaux. La détection d'un tel champ, autour de cellules ou d'organes isolés et autour d'un système tout entier, montre que des échanges d'informations chez les animaux peuvent se produire au moyen des champs électromagnétiques.

Pour le Dr Presman, il existe quatre types possibles de transmission de bio-informations chez les animaux. Le premier type de transmission concerne la coordination rapide des activités d'un individu au sein d'un groupe ou d'une communauté animale. On peut présumer qu'une communication de ce type est à la base des changements simultanés de direction observés chez les oiseaux en vol ou chez les poissons en banc, et de la rapide coordination des mouvements de certains insectes (qui agissent comme s'ils étaient animés par une seule volonté). Une liaison s'établit sur une distance relativement courte et cette liaison est sensible à des signaux de faible amplitude porteurs de petites quantités d'informations. Le deuxième type de transmission est relativement lent. Il peut expliquer la surprenante capacité qu'ont certains animaux d'aller retrouver un de leurs semblables situé loin d'eux. Le troisième type de transmission concerne l'échange de bio-informations au moyen de champs électromagnétiques entre les individus d'une même population ou d'une même espèce. Le quatrième type concerne l'interaction qui existe entre le comportement et le développement d'animaux en groupes et les champs électromagnétiques ambiants. Bien que ces types de transmission de bio-informations du Dr Presman restent encore imprécis, ils constituent un cadre de base nécessaire à la compréhension de ce qu'on a appelé la communication extra-sensorielle.

Tous les travaux de nombreux chercheurs insistent sur l'existence de cet univers invisible, mais d'une importance capitale, qu'est l'électromagnétisme. C'est au moyen des champs électromagnétiques que nous saisissons des indications sur les régulations biologiques de tout organisme vivant. Grâce aux champs électromagnétiques, nous restons en harmonie avec le cosmos.

Stanley Krippner et Sally Ann Drucker, chercheurs américains, ont suggéré que le procédé photographique Kirlian peut rendre visibles les schémas électromagnétiques de la vie. La photographie Kirlian, ou électrophotographie, permet de photographier les radiations émises par des objets placés entre deux électrodes qui créent ainsi un champ de haute intensité. De nombreuses photographies Kirlian montrent une lumière émanant de certains points d'acupuncture bien précis. Il s'agit là selon le Dr Becker des nodules amplificateurs du système nerveux. Les photographies Kirlian, la carte ancienne et moderne des points d'acupuncture et la récente théorie du caractère hybride du système de transmission des centres nerveux, tout ceci contribue à définir le même phénomène avec des approches et des techniques différentes. Un résultat unique se dégage nettement : nous commençons à percevoir notre union avec le cosmos.

Le Dr Presman a démontré que les champs électromagnétiques de l'organisme sont sensibles à des perturbations magnétiques. L'électrophotographie devrait confirmer ceci. D'après Krippner et Drucker, Victor A. Damenko en 1970 a établi un rapprochement entre les variations des champs électromagnétiques observés sur des objets photographiés par Semyon et Valentina Kirlian et des variations des champs électriques terrestres.

Les chercheurs de nombreux pays ont trouvé que le procédé de photographie Kirlian permet de mieux comprendre un autre phénomène mystérieux : les guérisseurs. L'électrophotographie des doigts des guérisseurs montre que des modifications spectaculaires se produisent quand les guérisseurs font agir leur pouvoir. Ils pratiquent une forme ancestrale de médecine. Ne peut-on pas considérer la thérapeutique du Dr Becker des champs électromagnétiques de faible intensité, comme l'équivalent moderne de cette médecine? S'il en est ainsi, les scientifiques pourraient bien être amenés à revenir sur leurs opinions concernant la médecine ancestrale?

7

LA LUNE ET L'ÉVOLUTION

Comment la race humaine ne s'est-elle pas éteinte au plus profond du pliocène? Nous savons que sans le don des étoiles, sans la rencontre accidentelle d'une radiation et d'un gène, l'intelligence aurait péri dans une contrée oubliée d'Afrique.

ROBERT ARDREY.

Durant les siècles de l'évolution, la lune est restée la fidèle compagne de la terre. Parce qu'on dit que nos ancêtres sont sortis de l'océan, il est raisonnable de s'attendre à ce qu'ils soient intrinsèquement sensibles aux marées. La preuve de l'influence de la lune sur l'évolution est un argument majeur dans la théorie des marées biologiques.

Le premier à énoncer la théorie scientifique moderne sur les origines aquatiques de la vie fut Érasme Darwin, grand-père de l'illustre Charles Darwin. C'est dans son épopée biologique, *le Temple de la nature,* que l'on trouve les vers immortels du grand-père Darwin : « La vie organique naquit sous les vagues infinies et grandit dans les grottes nacrées de l'océan. »

L'idée selon laquelle la vie est sortie des profondeurs marines n'est en aucun cas la production exclusive d'un esprit scientifique. Les mythes concernant la création font de l'océan la demeure primordiale de la vie. Robert Graves rapporte ainsi le mythe homérique de la création : « Certains disent que tous les dieux et toutes les créatures vivantes sont nés des flots d'Océanus qui entoure le monde et que Thétis est la mère de tous ses enfants. »

Qu'est-ce qui a conduit nos ancêtres à croire en une origine aquatique de la vie? « ... Et au rassemblement des eaux, il donna le nom de mers, et Dieu vit que cela était bien. » Simple intuition? Est-ce la mémoire raciale de l'évolution qui les conduisit à formuler ces mythes?

Que la vie soit née dans la mer est un fait scientifique reconnu, qui signifie que la lune — maîtresse du rythme des marées océaniques — a joué un rôle très important dans l'évolution; son rythme régulier a accompagné chaque étape de la longue lutte de la vie pour assumer un nombre de plus en plus grand de formes d'existence.

Dans son ouvrage classique, *les Origines de l'homme,* Charles Darwin prétend que l'influence de la lune est probante dans l'évolution de l'homme depuis les formes inférieures de la vie. « L'homme est assujetti, comme les autres mammifères, les oiseaux et même les insectes, à cette loi mystérieuse selon laquelle certains processus normaux, tels la naissance, l'apparition, le développement et la durée de certaines maladies, suivent une périodicité lunaire. » Darwin voit la clef de cette « loi mystérieuse » dans l'étape de l'évolution au cours de laquelle la vie est sortie de la mer pour entreprendre la grande aventure des animaux terrestres, qui devait aboutir aux espèces humaines. Pareille émergence a dû nécessiter des générations et des générations d'adaptation. Des animaux de formes intermédiaires sont apparus et existent encore. C'est le cas des dipneustes sud-américains : ces poissons tropicaux allongés sont dotés de poumons et de branchies.

On trouve encore des traces visibles de cet événement dans le développement de l'embryon humain. A la recherche de la généalogie de l'homme, Charles Darwin écrit : « A une période primitive, les progéniteurs de l'homme ont dû avoir un mode de vie aquatique; car l'étude de la morphologie nous indique clairement que nos poumons résultent de la modification d'une vessie natatoire qui a d'abord servi de flotteur. Les fentes du cou de l'embryon humain montrent l'emplacement des anciennes branchies. Dans la périodicité hebdomadaire ou lunaire de certaines de nos fonctions nous retrouvons des traces de notre lieu de naissance originel : une grève battue par les marées. »

A ce moment critique de l'évolution, le rythme des marées a dû jouer un rôle très important pour ces organismes. « Les habitants des rivages océaniques, écrit Darwin, sont sans doute fortement affectés par les marées; les animaux qui vivent à une profondeur proche de la moyenne des basses eaux ou des hautes eaux vivent un cycle complet de marées en quinze jours. Donc, leur nourriture subit des changements très nets de semaine en semaine. Les fonctions vitales de tels animaux, qui depuis des générations vivent dans de telles conditions, ne peuvent pas ne pas suivre un rythme hebdomadaire. Il reste pourtant un fait mystérieux : parmi les vertébrés terrestres de haute taille, de nombreux cycles normaux et anormaux ont une périodicité de une ou plusieurs semaines complètes; ceci s'expliquerait si les vertébrés descendaient d'un animal proche des mollusques ascidiens qui existent encore de nos jours. »

Pour ces animaux placés dans un environnement totalement nouveau les marées quotidiennes constituaient des périodes de repos bienvenues. L'émersion des profondeurs marines, au rythme du battement des marées, représente un événement traumatisant en même temps qu'une adaptation triomphale. L'attraction des marées s'accompagne d'anxiété et de nostalgie. Elle rappelle le temps où un grand assèchement obligea les races d'animaux aquatiques de l'endroit à chercher un nouveau mode d'existence.

Pareil désastre — l'assèchement de la mer — constitue un moment crucial de l'évolution pour une autre raison. Dans son étude sur l'évolution de la sexualité, le psychiatre Sandor Ferenczi suggère que c'est à ce moment précis de l'évolution que se sont trouvées liées les notions de sexualité génitale et d'agressivité. D'après Ferenczi, disciple de Freud, « la notion d'hostilité liée aux premiers essais de coït correspond en réalité à une lutte pour s'approprier l'eau, l'humidité. Dans l'élément de sadisme que comporte l'acte sexuel, cette notion de combat se perpétue. Elle existe encore, après tout ce temps, même si elle prend maintenant un aspect symbolique ou ludique; elle reste le legs des premiers ancêtres de la race humaine ».

Plusieurs phénomènes d'importance capitale se produisent dans un environnement influencé par les rythmes lunaires. Pour Ferenczi, la guerre des sexes a commencé dans un environnement dominé par la lune. Cette interprétation surprenante et d'une importance capitale explique le rapport trouvé entre les pulsions agressives et sexuelles de l'homme et la périodicité lunaire. Les rythmes naturels caractéristiques de la vie animale résultent autant du cours de l'évolution que les yeux, les nageoires, la queue et les pieds. Mais les rythmes vivants ne sont pas visibles et l'on oublie souvent de les mentionner. D'après mon collègue Franck Brown, « les créatures vivantes sont soumises à des phénomènes de périodicités diffuses dans l'environnement où qu'elles se

130

trouvent et à quelque étape qu'elles soient de leur cycle de vie depuis les cellules reproductrices jusqu'aux organismes adultes. On peut penser que très tôt dans l'évolution de la vie, la répétition des cycles géophysiques, jour solaire et jour lunaire, a servi de gabarit sur lequel les séquences biologiques composées d'événements reliés entre eux par un processus de cause à effet ont été façonnées ».

Le soleil et la lune ont marqué les rythmes vitaux à leur base : quoi de plus normal que ce soit le jour solaire qui serve de gabarit temporel, alors que la lune a exercé sa plus grande influence en période de cataclysme et de créativité exceptionnelle — à coup sûr une étape transcendantale de l'évolution. C'est exactement ce que de nombreuses interprétations culturelles expriment ainsi : le soleil c'est la règle, la lune c'est l'exception. A la lumière de telles spéculations évolutionnistes, on comprend mieux comment et pourquoi le symbolisme de la lune préside à l'imagination et pourquoi on associe la lune à la naissance et au traumatisme.

Même après l'émersion de la vie, après son adaptation à l'environnement terrestre, l'influence de la lune a continué à se faire sentir. Les nuits de pleine lune, comme nous l'avons dit dans le chapitre 1, sont les périodes de chasse des prédateurs. Nos ancêtres végétariens le savaient bien. Ceux qui se méfiaient de la pleine lune et restaient en alerte au lieu de dormir vivaient plus longtemps et leur descendance était plus nombreuse. Cette influence de la lune reste inscrite dans notre héritage génétique*. L'attraction de la mer demeure puissante. Si l'on en juge d'après l'exemple des cétacés

* Stephen H. Vessey, biologiste à l'université de Bowling Green State, a fait des recherches qui contribuent à expliquer l'état d'agitation de certains individus en période de pleine lune. Il a montré que durant les nuits de pleine lune l'activité des singes rhésus est bien plus importante.

(baleines et dauphins) on peut comprendre combien nos ancêtres ont dû avoir du mal à sortir de la mer, car ces grands mammifères sont retournés à la mer.

L'effet exercé par la lune sur le champ magnétique terrestre constitue peut-être une autre forme d'influence de la lune sur l'évolution. Alexandre Dubrov, héliobiologiste soviétique, a découvert l'existence d'une relation entre des variations chromosomiques et des variations du champ magnétique. « Les fluctuations saisonnières de ce champ magnétique coïncident avec la fréquence des cas d'inversions chromosomiques chez la drosophile. Les faits obtenus signifient que des changements génétiques naturels se produisent sous l'influence du champ géomagnétique. » Le Pr Robert Becker est d'accord avec le Pr Dubrov. Si l'on regroupe les découvertes dans ce domaine, on constate que des fluctuations électromagnétiques sont reçues directement par le système nerveux et qu'elles peuvent affecter la mutation des chromosomes. Les travaux du Dr Leonard Ravitz sur les « champs de vie » l'ont conduit à une opinion identique. Il pense que l'évolution du système nerveux résulte de l'action de forces dynamiques, exercées sur des groupes de cellules, par l'ensemble du champ électromagnétique.

Conscientes de l'importance des variations de champs pour leur survie, certaines espèces ont tiré profit de cette influence. Le Dr Franck Brown a remarqué que si l'on plaçait deux graines de haricot dans de l'eau, l'une d'elles absorbait de l'eau et l'autre pas. Quand on inversait l'orientation des graines, elles se distribuaient les rôles dans l'autre sens. Selon l'orientation géomagnétique, ce ne sont pas les mêmes graines qui absorbent l'eau. Le Dr Brown de conclure : « Cette espèce est dotée d'une double chance de survie — un état positif et un état négatif — en réponse aux fluctuations naturelles de l'environnement géoélectromagnétique. » Ce terme implique que les propriétés électriques magnétiques et gravitationnelles de notre planète doivent être considérées comme un ensemble d'interactions.

Dans le cas d'organismes extrêmement simples, la vie s'adapte aux effets des champs magnétiques fluctuants, en étendant ses options. Pour cette adaptation, la survie de l'espèce passe avant la survie de l'individu. Comment les membres de l'espèce coordonnent-ils cette activité transcendante? Ceci reste un des mystères de l'évolution. Pour le Pr Brown, la réponse se trouve peut-être dans les interactions des champs électromagnétiques. Aleksandr Presman partage cette idée. Si Presman et Brown ont raison, la perception extra-sensorielle peut avoir évolué sous la forme d'une réaction de plusieurs espèces à la pression de l'environnement.

J'ai déjà évoqué comment la ligne évolutive du loup avait rencontré celle de l'homme. Les légendes sur le loup-garou demeurent vivaces car le loup a joué un rôle important dans le développement des méthodes de chasse chez l'homme. Le balancement de la lune, si décisif dans l'évolution, existait bien avant le début de l'évolution de l'homme comme du loup.

L'influence de l'attraction lunaire sur les pulsions sexuelles et agressives date de l'époque où les premiers animaux ont quitté la mer pour venir sur terre. Elle s'applique facilement, des siècles après, au comportement agressif du loup. La lycanthropie est donc un concept symbolique humain qui correspond à des tendances organiques bien plus anciennes que les espèces concernées.

J'ouvre ici une parenthèse fascinante : la légende du loup-garou a dû connaître un regain de vivacité à partir du XVIIe siècle. A cette époque on enfermait les fous dans des hôpitaux et des prisons. Certaines formes de dépressions peuvent tourner à la folie furieuse en période de pleine et de nouvelle lune. A ce moment-là, les fonctions du métabolisme des malades se trouvent accélérées. En particulier la pousse de la barbe. La croissance rapide de la barbe des patients hypermétaboliques, associée à leur accès de folie furieuse, a contribué au renforcement de la légende du loup-garou. Jusqu'à une période relativement récente, il était évident aux yeux des responsables des asiles psychiatriques que les malades mentaux avaient régressé à l'état d'animal. Cette croyance accréditait la métamorphose du loup-garou. Jusqu'en 1808, lors de certaines phases de la lune, on enchaînait, on fouettait les internés du célèbre hôpital psychiatrique anglais Bedlam, « afin d'empêcher toute violence ». Nous continuons à projeter sur les malades mentaux nos propres craintes devant l'irrationnel. Les conditions d'internement dans les hôpitaux psychiatriques continuent à être souvent déplorables. Quand l'homme sera capable d'assumer ses propres tendances cruelles — legs de son évolution — il pourra bien alors se passer de bouc émissaire, homme ou animal.

On découvre parfois des parallèles étonnants entre un organisme et l'environnement dans lequel il vit. J'ai déjà fait remarquer combien la mythologie et la poésie inspirées par la lune déplaisaient à de nombreux esprits rationalistes. La dualité du temps cosmique, le calendrier solaire et le calendrier lunaire, s'accompagne de l'opposition traditionnelle entre le rationnel (le soleil) et l'irrationnel ou intuitif (la lune). Le jour solaire est régulier — rationnel. Le jour lunaire est à contretemps avec le temps solaire — c'est l'irrationnel. Cette dualité a pris une importance culturelle énorme.

L'étude en parallèle du soleil et de la lune, devenue un mythe dans le monde entier, a un fondement biologique autant que culturel. Les influences du temps solaire et du temps lunaire ne se font pas seulement sentir au niveau de notre corps mais aussi à celui des structures de notre cerveau et de la nature même de notre pensée.

On sait fort bien maintenant que les deux hémisphères de notre cerveau sont pratiquement indépendants l'un de l'autre. Par exemple, l'hémisphère droit du cerveau contrôle la motricité du côté gauche du corps et l'hémisphère cérébral gauche contrôle le côté droit. Si le nerf principal reliant les deux hémisphères cérébraux est coupé, les informations reçues par un hémisphère ne sont pas transmises à l'autre. Nous pouvons littéralement avoir deux opinions dans n'importe quel domaine.

L'indépendance des deux hémisphères cérébraux revient en fait à une interdépendance. Robert Arnstein, psychologue en Californie, pense que les deux hémisphères cérébraux perçoivent les choses et pensent différemment. L'hémisphère gauche (ou solaire) reçoit et traite l'information d'une manière linéaire et rationnelle. L'hémisphère droit a une perception et une intuition structuralistes, gestaltistes. Il résulte de cette découverte remarquable que le symbolisme de la lune dans la culture et dans l'histoire pourrait bien être mieux reconnu comme tel par les esprits du XXe siècle. Les mythes de la lune et du soleil, et leur complémentarité, renvoient à la structure biologique du cerveau et au fonctionnement de la pensée.

L'existence d'un tel parallélisme entre la dualité des calendriers, la dualité de la structure cérébrale, la dualité des principaux modes de pensée et de perception, et la dualité des mythes solaire et lunaire est étonnante mais finalement logique.

La dualité de la structure cérébrale constitue un avantage pour les chances de survie. Les fonctions d'un hémisphère cérébral endommagé peuvent être assumées par l'autre hémisphère. C'est pourquoi la chirurgie peut rendre les deux hémisphères cérébraux indépendants l'un de l'autre. Il résulte de cette dualité un autre fait qui est essentiel pour l'évolution de la vie. Pour qu'il y ait mouvement, il faut qu'il y ait opposition. La marche et la course résultent de l'opposition entre les deux jambes. De la même façon, je pense que l'opposition entre deux modes de perception et de penser, un lunaire (intuition) et un solaire (raison), est nécessaire au développement maximal de la pensée et de la création.

Pour le Dr Albert Rothenberg, psychiatre à l'université de Yale, le concept de la pensée janusienne est fondamental et nécessaire au développement de la pensée créatrice. La pensée janusienne est la capacité de conception et de perception diamétralement opposées et simultanées et sans conflits pour autant. Un tel mode de pensée peut transformer une apparente dualité en une production unifiée et esthétique, que ce soit l'art, la musique, la poésie, la théorie scientifique ou même un mode de vie créatif dans un monde rempli de paradoxes et de contradictions.

Dans notre société, nous négligeons les modes de pensée et les inspirations lunaires que nos ancêtres estimaient tant. En mettant l'accent sur le rationalisme solaire, nous avons ralenti le développement de la pensée créatrice.

8

LA LUNE ET LA CIVILISATION

De bien des manières, toutes très différentes de ce que les anciens astrologues avaient imaginé, nous sommes reliés à l'univers.

Autres Mondes, CARL SAGAN.

Les anciens savaient bel et bien qu'ils étaient des résonateurs cosmiques.

Ignorant tout des orages magnétiques, des taches solaires, des rayons cosmiques, incapables de formuler les lois de la gravitation universelle, ils pensaient pourtant que tout dans l'univers — eux y compris — se trouvait relié à tout. Dans un tel monde d'interconnexion, le soleil, la lune et les planètes étaient les signes visibles du bon fonctionnement du cosmos et l'on pouvait prévoir leurs mouvements.

Les premiers astrologues ont calculé les déplacements des corps célestes. Etant donné l'état de la science mathématique de l'époque, de tels calculs étaient très difficiles. (Aujourd'hui, à l'âge de l'ordinateur, nous ne nous soucions plus des calculs.) Les anciens astrologues et les pionniers de l'astronomie devaient faire preuve de beaucoup de patience et d'une grande discipline (Un astronome du XVIe siècle est devenu fou à force de chercher à calculer l'orbite de Mars). Johannes Kepler qui formula les lois sur les mouvements des planètes consacra sept années de sa vie au calcul de l'orbite de Mars en posant ainsi les bases du calcul moderne infinitésimal.

L'astrologie était autrefois une discipline de l'observation tout à fait valable. Il y a vingt siècles, les astrologues étaient en fait des astronomes. Ils observaient les corps célestes et reliaient leurs diverses positions observées à des événements se produisant sur terre. Nous avons appris qu'un grand nombre de ces rapprochements, surtout ceux concernant les positions de la terre, de la lune et du soleil, étaient justes. Les chercheurs modernes spécialisés dans la fertilité et le contrôle des naissances ont démontré l'importance des configurations de la terre, de la lune et du soleil, en matière de naissance et de reproduction.

En ce qui concerne les corrélations établies entre des événements humains et les positions des autres planètes, nous devons nous demander si leurs positions sont capables d'un effet mesurable sur notre système biologique. Un tel effet est tout à fait possible. Si Vénus et Mars se trouvent alignées avec le soleil, la lune et la terre, les effets des forces de gravitation s'ajoutent les uns aux autres.

Dans le chapitre 6 j'ai noté que Plagemann et Gribbin attendent du prochain grand alignement de planètes une très forte attraction sur la terre et le déclenchement de tremblements de terre. Si ces tremblements de terre s'accompagnent d'une formidable vague de troubles du comportement parmi la population — comme c'est probable — nous allons vivre une confirmation impressionnante de quelques-uns des vieux principes des anciens astrologues et, bien sûr, de nos propres théories. Ceci n'a rien à voir avec l'astrologie moderne, avec son système symbolique compliqué, mais c'est exactement le genre de connaissance céleste que les anciens pouvaient acquérir par l'observation. On doit se souvenir que c'est en combinaison et en configuration que les planètes ont de l'effet sur nous. Prises séparément, chacune des planètes est trop éloignée de nous pour affecter notre comportement.

Dans les civilisations anciennes, les gens s'efforçaient de vivre en harmonie avec l'univers. Notre civilisation contemporaine, elle, est volontairement en désaccord avec l'environnement. L'âpreté qui nous pousse sans cesse à produire de plus en plus de marchandises nous pousse vers une lutte à mort contre la nature.

A son époque, et pour un grand nombre de civilisations, l'astrologie servait de science de l'observation et de système d'interprétation. Les astrologues interprétaient le caractère en utilisant les signes du Zodiaque et les positions des planètes. Disposer d'un système de classification facilite les discussions sur un sujet aussi compliqué et aussi fluctuant que la personnalité humaine. L'interprétation moderne de la personnalité utilise d'autres métaphores. Les psychologues du XXe siècle disposent du système métaphorique de Freud — tiré pour une large part des grands mythes — ou du jargon technique des béhavioristes.

Dans le passé, la recherche d'une vie en harmonie avec l'univers s'étendait à tous les aspects de la vie, non pas seulement à l'observation des cieux. On trouve encore de nos jours des exemples de cet effort. La société de yoga, Ananda Marga Yoga Society, conseille de respecter certains jours de jeûne en fonction du calendrier lunaire. Le quatrième jour avant la pleine et la nouvelle lune. La pression de la gravitation commence à peser lourd à cette époque, et la société Ananda Marga y voit une source de déséquilibre du système biologique. Le jeûne et la méditation contribuent alors à rétablir l'équilibre. Voici une application intéressante de l'effet lunaire. Si des travaux de recherche montraient l'efficacité de ces méthodes de traitement du stress cosmique, cela serait très bénéfique pour les individus à l'équilibre précaire et susceptibles d'être affectés d'une manière néfaste par les périodes de stress (*cf.* chapitre 10 sur les applications de la connaissance de la lune).

Des prédictions astrologiques ont parfois été confirmées scientifiquement. C. G. Jung, dans une expérience maintenant célèbre, a trouvé que les positions du soleil et de la lune lors de la naissance d'individus annonçaient — dans un nombre de cas significatifs — les conjonctions astrologiques de leurs mariages éventuels. Le psychologue français, Michel Gauguelin, a trouvé qu'il existait une corrélation entre le choix des carrières de quelques personnalités connues et les planètes dominant le ciel à leur naissance. Il a été amené à croire que le bagage génétique d'un enfant le prédispose à naître quand le système solaire présente une configuration particulière. Dans son livre *les Horloges cosmiques,* Gauguelin écrit que dans l'utérus, le fœtus est protégé des signes usuels de l'écoulement du temps, telle la lumière du soleil. Cependant, la gravité et les champs électromagnétiques parviennent jusqu'à lui — les positions des planètes influencent donc le moment de la naissance. Si des organismes sont mis hors de portée des principaux éléments qui marquent le temps, ils finissent instinctivement par en trouver d'autres d'après lesquels ils règlent leurs rythmes biologiques, devenant alors sensibles à l'influence des « éléments subtils de synchronisation de l'espace ».

Gauguelin pense que la caractéristique génétique qui fait naître un enfant sous une certaine configuration planétaire est liée aux caractéristiques qui déterminent les talents de l'enfant. Ceci expliquerait les surprenantes corrélations existant entre les planètes et les carrières. « Tout simplement, la carrière de l'enfant dépend de la structure génétique de son organisme ; à la naissance, les horloges planétaires révèlent ce facteur génétique d'une manière inattendue. Il y avait dans le bagage génétique des personnalités certains éléments qui les prédisposaient à donner à leur vie une orientation privilégiée héritée de leurs parents. Bien entendu, ceci n'est pas vrai seulement pour ces célébrités, ceci s'applique à tout le monde. Dans l'espèce humaine, la tendance héréditaire qui fait naître un enfant à un certain moment plutôt qu'à un autre devrait, dans une certaine mesure, être une indication du type constitutif de cet individu. »

Les études de Jung et Gauguelin valident certains aspects de l'astrologie. Bien que quelques chercheurs sérieux et qualifiés se servent des méthodes d'investigation modernes pour étudier l'astrologie, je n'ai pas trouvé dans la littérature scientifique l'annonce de résultats intéressants.

Je ne crois guère en l'astrologie. Elle représente cependant une vieille tradition d'observations et de corrélations. Nous devons garder l'esprit ouvert et être prêts à examiner tout système qui semble avoir une valeur heuristique. Des qualifications scientifiques ne sauraient constituer un encouragement à la suffisance, pas plus qu'elles ne légitiment les préjugés.

Pouvons-nous appliquer notre connaissance grandissante des effets lunaires et cosmiques à la vie de tous les jours ? Pouvons-nous apprendre à vivre en harmonie avec les cycles cosmiques ? Certains savants pensent que oui. J. E. Davidson, des laboratoires Sandia à Albuquerque au Nouveau-Mexique, a étudié les relevés statistiques des accidents et en a tiré des conclusions surprenantes. Il a trouvé que de nombreux cycles cosmiques — les phases de la lune en particulier — exerçaient une influence sur les accidents. « Nos données suggèrent l'existence possible d'une période durant laquelle chaque personne peut avoir plus d'accidents. Cette période correspond pour chacun à la phase de la lune de sa naissance et à la phase de la lune opposée à 180°. »

De semblables résultats appuient ma théorie selon laquelle les rythmes biologiques des individus sont imprimés dès leur naissance. Ceci pourrait être utilisé pour prévenir les accidents. M. Davidson a aussi trouvé une corrélation entre les accidents et le cycle des taches solaires et des fluctuations magnétiques. S'il est évident que des études plus approfondies dans ce domaine sont nécessaires, il reste que l'on se heurte toujours à des préjugés? Pourquoi est-il toujours aussi problématique pour des scientifiques de s'attaquer à un domaine où les mythes et les légendes sont si nombreux?

Si un concept résiste aux siècles sans trop de déformations, s'il est transmis par les mythes et les légendes, il est légitime de s'y intéresser sérieusement. Nous devons examiner les observations qui sont à la base de ce concept. Nous devons faire une étude scientifique du phénomène concerné. Dans le passé, il s'est avéré que les légendes contenaient souvent plus de véracité que l'histoire. Après tout, on sait bien que l'histoire est pleine de préjugés qui correspondent aux prédilections des historiens qui la relatent et aux intérêts historiques des puissances qui emploient les historiens. Les préjugés de l'observateur constituent le point faible de la science autant que de l'histoire.

Il est un autre préjugé qui nuit à la compréhension de l'univers, c'est la tendance à calculer le temps sur la base du temps solaire. Ce préjugé en faveur du temps solaire reflète un déséquilibre de notre époque et de notre culture. Dans les sociétés anciennes, l'équilibre entre le soleil et la lune était primordial pour comprendre le fonctionnement harmonieux du cosmos, de la civilisation, de la religion et de l'individu. Le principe solaire servait de symbole à tous les processus réguliers, fiables et rationnels de la vie. Le soleil était le dispensateur de vie et de lumière. Son cycle était simple et précis. La lune au contraire était à contretemps avec le soleil. L'effet du soleil sur la température et les récoltes était évident, tandis que l'effet de la lune sur les marées océaniques, sur les moments opportuns dans les affaires des hommes, était subtil et difficile à comprendre. La lune paraissait irrationnelle, à l'opposé de la périodicité constante et lumineuse du soleil. Le soleil était le symbole de tout ce qui était raisonnable, régulier et fiable.

Comme notre recherche l'a prouvé, et comme toutes les civilisations anciennes le savaient bien, la lune a tendance à exalter l'irrationnel en l'homme — tout comportement déséquilibré auquel même les âmes bien trempées peuvent se laisser aller parfois. Bien entendu, le domaine de la lune ne se limite pas exclusivement à la folie de la vie. Les sociétés anciennes ont aussi associé la lune à des qualités mystérieuses mais nécessaires, comme l'intuition et la créativité.

Tout au long de l'histoire occidentale, l'aspect solaire de la conception du monde l'a emporté. Au lieu de vivre avec une connaissance équilibrée du rationnel et de l'intuitif, la science occidentale a choisi de nier et de réprimer tout ce qui dans la vie dépend de l'intuition. Tous les effets mystérieux que la raison ne parvenait pas à expliquer étaient dénoncés, les uns après les autres, comme relevant de la superstition, du mythe, de la sorcellerie. La hantise de la sorcellerie arriva en Europe après que les religions anciennes et les mythologies eurent été reléguées dans la clandestinité par la science et l'Eglise.

Les aspects irrationnels intuitifs et créatifs de la personnalité naissent du subconscient ; les anciens appréciaient ces traits lunaires et les jugeaient nécessaires socialement. Quand les légendes et les formes diverses du culte de la lune ont été officiellement interdites durant les premiers siècles du Moyen Age, elles ont constitué un inconscient collectif susceptible de renaître seulement dans des cas d'hérésie collective ou de panique de masse. La vieille dualité soleil-lune a été interprétée comme l'opposition entre Dieu et le démon. Ce qui avait d'abord été conçu comme une harmonie cosmique était devenu une cacophonie universelle.

La cacophonie s'est fait entendre quand j'ai tenté pour mon travail d'exprimer les influences de la lune en termes rationnels, sous une forme raisonnée. Il est un problème universel qui reste insoluble en ce qui concerne l'étude des influences de l'environnement naturel sur le comportement humain, c'est le problème des données statistiques. Elles sont fondamentalement inadéquates. Aucun test statistique, aucune partie des mathématiques actuelles ne sont capables de saisir et de représenter des variables périodiques aux fluctuations constantes. Les statistiques sont statiques. Elles ne sont capables que de fournir une coupe de ce qui se produit à un moment donné dans le temps. La coupe est artificielle au mieux. La méthode d'étude et le sujet étudié sont incompatibles par nature.

Nous disposons d'outils scientifiques très perfectionnés mais ils ne sont guère utiles pour traiter de certains problèmes. C'est évidemment le cas de la psychologie où chaque jour nous nous efforçons de comprendre des émotions. La science rationnelle est plus habile à manipuler des comportements qu'à expliquer les émotions et les inspirations si importantes pour le bien-être.

La répression de l'irrationnel et l'opposition qu'il suscite ne sont pas spécifiques à l'histoire récente. Bien que les anciennes civilisations aient utilisé des calendriers lunaires et pensé en termes lunaire et solaire, la suppression du premier type de pensée était en cours de réalisation. Dans les mythes de presque toutes les civilisations, la lune est une déesse et le soleil un dieu. L'opposition entre le soleil et la lune est presque aussi vieille que la guerre des sexes. Les cultes de la déesse lune ont commencé à être sapés avec la montée des grandes sociétés patriarcales. La domination du mâle dans ces sociétés-là s'accompagnait de la prédominance des dieux solaires ou dieux célestes dans tous les mythes et les cultes. La divinité des rois égyptiens, le militarisme sumérien, le monothéisme hébreu et le rationalisme grec, ont mis fin aux cultes de la déesse lune.

En Egypte, l'institution d'un roi dieu a donné naissance à un monothéisme, au culte du dieu soleil Râ, dont le pharaon était l'incarnation terrestre. Ceci a été la première institution culturelle exprimant l'entière domination du patriarcat. Le rationalisme et le militarisme ont combattu l'influence de la déesse lune sous ses divers aspects, tout au long des âges. Pourtant, l'attrait de la lune était si grand qu'on trouve encore des vestiges de son culte. On comprend aisément l'attrait de la déesse lune. Les forces nées de nos émotions, de notre inconscient, sont puissantes et mystérieuses. Elles sont aussi effrayantes que belles. L'amour, la créativité artistique, l'imagination puisent aux sources de ces forces. Le culte de la lune permettait à l'aspect irrationnel de la personnalité humaine d'être accepté par la société. Aujourd'hui les individus qui ont du mal à assumer leur désarroi émotionnel paient très cher les honoraires d'un psychiatre. C'est là le tribut versé par une société qui n'accepte que les comportements rationnels.

C'est le besoin comblé par le culte de la déesse lune qui a fait de cet astre une constituante intégrale et universelle de l'histoire du psychisme humain. Nous lui devons la reconnaissance d'un paradoxe fondamental : l'irrationnel est une composante essentielle de toute vie comblée et équilibrée. Sans intuition et sans irrationnel, les choses restent ce qu'elles sont, rien ne change réellement. L'univers est un mécanisme régulier, un ordinateur complexe et sans âme. La conception mécaniste de l'univers est l'ultime expression de la pensée rationaliste.

L'importance symbolique de la lune dans l'histoire du psychisme, sa présence dynamique dans l'évolution des espèces et son pouvoir physique — découvert récemment — contribuent à souligner la nécessité de nous ouvrir à la lune, nous devons être conscients de sa présence, nous devons agrandir notre connaissance lunaire. Le rôle de la lune est d'une importance immédiate, physique et symbolique, nécessaire à notre vie émotionnelle.

La connaissance que nous avons de la lune et la persistance des traditions lunaires, compte tenu des préjugés historiques et scientifiques actuels, sont encourageants. Dans les années 1930, alors que le rationalisme scientifique s'emparait activement du monde, au nom du progrès, et cherchait à faire disparaître tout vestige du savoir lunaire, Mrs Esther Harding écrivit *les Mystères de la femme* en protestation contre le rationalisme monolithique. Le livre a été publié peu de temps avant que le monde ne se lance à corps perdu dans la Seconde Guerre mondiale. Il vient d'être réédité. J'espère que le public va lui accorder son attention cette fois-ci. Mrs Harding souligne que sans le principe féminin d'inspiration, d'intuition et de créativité, notre société perd tout équilibre, toute émotion et se trouve dans l'incapacité d'éviter une guerre ou un désastre. L'inspiration de la lune montre par comparaison la vacuité de la logique pure. « Les idées nées sous la lune, écrit-elle, pour inférieures qu'elles paraissent, ont un pouvoir et un

146

caractère irrésistibles que les idées nées dans la tête ont rarement. »

Aussi loin que la mémoire humaine puisse remonter, la lune symbolise l'inspiration des poètes et il peut s'avérer dangereux de réprimer le pouvoir né de la sublime beauté de l'inspiration lunaire. Les pulsions créatrices refoulées deviennent difformes et grotesques. La créativité refoulée des rationalistes à tous crins les mène à leur propre défaite. Elle les pousse à poursuivre avec un entêtement logique des buts comme la conquête absolue du pouvoir. La préoccupation de Mrs Harding, l'équilibre entre les principes mâle et femelle, le soleil et la lune, correspondent aux découvertes de Jung.

En cherchant à rendre à ses patients leur équilibre psychique, Jung a trouvé que les principes masculin et féminin constituaient la structure de base de la psyché. La conscience qu'a l'individu de son identité sexuelle se trouve contrebalancée dans l'inconscient par le principe opposé. Chez un être sain ceci constitue l'équilibre psychique. Nous devons respecter notre inconscient et ses talents, si nous souhaitons garder la tête sur les épaules. Ce que Harding et Jung ont voulu dire bien sûr, c'est que notre société tout entière est en déséquilibre et qu'elle est au bord du désastre.

La suppression historique et patriarcale du mode de vie lunaire a érodé notre intégrité sociale et individuelle. La science occidentale a énormément contribué à notre bien-être matériel. Mais la planète est maintenant violée et pillée par les méthodes de production, au mépris de l'équilibre naturel. Animé d'une persévérance logique, l'homme s'engage dans une situation dangereuse. *Le désespoir de notre société est plus nettement visible sous la lumière de la lune.*

Il est faux de dire que la lune pousse à la folie et au crime. Mais il est très juste de dire que c'est la méconnaissance volontaire de l'influence de la lune et de ce qu'elle représente qui fait naître des tensions sociales, une confusion et des résultats lamentables et bizarres. La lune est un tueur pour les êtres au psychisme déséquilibré, ou pour une société trop rigide, incapable de se laisser balancer au rythme du cosmos.

Nos ancêtres faisaient usage de leur connaissance de la lune pour essayer de vivre une relation moins frustrante avec l'univers. Nous devons faire la même chose. Nous sommes au commencement d'une tentative de définition et d'application de la connaissance de la lune. Le besoin de cet approfondissement se fait sentir partout consciemment et inconsciemment.

On peut juger de ce besoin à l'ampleur des réactions du public et des réponses des lecteurs à nos recherches sur l'influence de la lune sur les agressions humaines *. La croyance populaire qui appartient aux membres de la communauté scientifique, comme au grand public, semble avoir gagné droit de cité. Notre travail a suscité un enthousiasme général. Il semble que le besoin de connaître mieux la lune se soit fait sentir dans toutes les couches de la société. La réponse consciente en faveur de l'exploration du savoir sur la lune traduit bien l'expression inconsciente d'un besoin dans ce domaine et qui s'exprime nettement autour de nous. Des millions de gens consultent des livres sur l'astrologie, lisent les horoscopes des journaux afin de voir plus clair en eux-mêmes. Même si la plupart d'entre eux sont conscients que les horoscopes ne se vérifient pas toujours, consulter

---

* Avant de publier mon article d'une manière officielle en 1972, j'ai fait paraître un papier dans le *Herald* de Miami, où je parlais des résultats de mes recherches (présentées plus tôt, lors d'un congrès international). L'agence Associated Press le transmit à tous les journaux du monde. La réaction du public fut immédiate. La presse audiovisuelle (radio et télévision) se dépêcha de communiquer ces découvertes.

un « oracle » les rassure. L'incapacité de la société à satisfaire la nature intuitive de l'homme a fait naître un besoin, donc un marché énorme, pour un pseudo-savoir cosmique.

9

LA THÉORIE DES MARÉES BIOLOGIQUES

Au cours des récentes années, de nombreux savants dans des disciplines différentes, ont étudié les rapports entre le soleil et la vie sur la terre. Le soleil produit l'énergie qui rend notre planète habitable. L'énergie nous parvient sous la forme de radiations couvrant tout le spectre électromagnétique. Les couches externes protectrices de l'atmosphère terrestre font barrière aux radiations dangereuses pour la vie, ou les absorbent. Il est indispensable de connaître les effets des forces électromagnétiques sur tous les phénomènes terrestres — y compris sur la vie elle-même — si l'on veut comprendre la place occupée par l'homme dans l'univers. Comme les chapitres précédents l'ont indiqué, les forces électromagnétiques sont intimement liées à l'évolution de la vie, au développement des diverses espèces et à la génération des rythmes biologiques essentiels à la survie des organismes terrestres.

La lune ne produit aucune radiation; sa lumière n'est que le reflet de la lumière du soleil. Elle gravite régulièrement autour de la terre en un mois. La force attractive de la gravitation entre la lune et la terre varie en fonction des positions relatives de la lune, du soleil et de la terre. L'attraction lunaire est à son maximum quand la lune, le soleil et la terre sont alignés, comme cela se produit lors de la nouvelle et de la pleine lune. Cette attraction est minimale quand les trois planètes forment un angle droit, comme lors des autres quartiers.

Les cycles de gravitation lunaire mensuel et journalier qui produisent nos marées océaniques et atmosphériques jouent un rôle primordial dans les processus vitaux. La lune produit aussi une modification régulière du champ magnétique terrestre généré par le transit quotidien de la lune. L'amplitude de cet effet quotidien varie durant le mois de la révolution lunaire, en fonction des phases de la lune.

Les savants, spécialistes des taches solaires, ont toujours constaté, en mesurant les variations de champs électromagnétiques relatives aux cycles des taches solaires, des périodicités lunaires dans leurs relevés statistiques. De toute évidence, il existe une interaction entre la lune et le soleil. On peut constater et mesurer l'effet précis de ces interactions au niveau des phénomènes atmosphériques, des variables atmosphériques, du géomagnétisme terrestre, des processus vitaux, du comportement animal et humain. C'est pour tenter de comprendre le rôle de la gravité sur les processus de la vie, pour déterminer dans quelle mesure la gravité agit, en même temps que d'autres forces de l'univers, avec un rôle régulateur sur l'évolution, la croissance, le développement et le comportement, que j'ai émis cette théorie des marées biologiques.

Ma théorie s'appuie sur des observations empiriques, sur cinq ans de recherches, sur une synthèse des découvertes de physique, d'astronomie, de météorologie, de biologie, d'écologie et de psychologie. Elle procède d'une tentative de mise en place d'observations et de spéculations diverses. Elle doit rendre compte de faits déjà observés et approfondis. Elle doit résister à l'épreuve des expériences ultérieures et permettre des observations futures. Une fois qu'une théorie est établie, même si après d'autres tests elle se révèle fausse, elle a au moins le mérite de nous instruire. Si nous souhaitons apprendre à mieux connaître le monde où nous vivons, toutes les hypothèses sont fondées au regard de l'incertitude. Nous devons nous préparer à nous risquer dans l'inconnu.

Avant d'expliquer la théorie des marées biologiques une information de base me paraît nécessaire. Les neuf planètes de notre système solaire tournent autour du soleil, selon des orbites elliptiques. La lune accompagne la terre dans son odyssée annuelle. Le soleil est une étoile parmi des millions d'étoiles de notre galaxie : la Voie lactée. L'étoile voisine la plus proche du soleil, Alpha Centauri, se trouve à une distance de 4,3 années-lumière. Le soleil parcourt une orbite elliptique située presque au centre de la Voie lactée. La Voie lactée elle-même est une galaxie parmi d'innombrables autres galaxies qui toutes, croit-on, se déplacent en s'éloignant les unes des autres et en fuyant le centre présumé de l'univers. Le mouvement centrifuge des galaxies résulte, pense-t-on, du Grand Boum. D'après la théorie du Grand Boum, l'univers est entré en évolution il y a environ 15 milliards d'années à la suite de l'explosion d'un noyau de matière dense. On pense qu'à un certain moment les galaxies vont arrêter leur expansion et entreprendre le mouvement inverse amorçant une série d'implosions qui finiront par produire un autre Boum (des radiotélescopes géants ont détecté des signaux provenant d'au-delà de notre galaxie. On pense qu'ils correspondent à l'écho du son de l'explosion originelle).

Dans ce contexte cosmique, nous nous intéresserons essentiellement à notre système solaire. Tous les mouvements de ce système se produisent selon des cycles à peu près connus. Le soleil tourne sur son axe tous les 27 jours. Il faut onze ans à la matière pour se changer en énergie. Ceci se mesure au nombre de taches solaires observables au moyen de télescopes optiques. Les taches solaires sont des centres d'activité magnétique intense. Quand plusieurs taches solaires fusionnent, il se crée une région d'activité incroyablement chaude, une éruption solaire. Les éruptions solaires dégagent d'énormes quantités de rayons X, de rayons ultraviolets, de lumière visible et d'énergie sous forme d'ondes longues radio. Des particules de haute charge énergétique atteignent la terre en un peu plus de 8 minutes. Des radiations sur ondes longues peuvent mettre jusqu'à 20 heures avant d'atteindre la terre. Le chemin de ces particules est dévié par le champ magnétique solaire qui s'étend jusqu'au moment où il rencontre le champ magnétique terrestre.

Le nombre des radiations énergétiques qui pénètrent dans le champ magnétique terrestre et atteignent la planète n'en est que plus grand. Il en résulte de fréquents dégâts dans l'équipement électrique terrestre. Ces radiations ont, par exemple, fait sauter les installations électriques de villes entières. Les rayons ultraviolets et les rayons X perturbent les couches ionisées de l'atmosphère et provoquent des interférences dans les ondes radio. Le vent solaire est constitué de particules de gaz ionisées déversées dans l'espace en provenance de la couronne solaire. Ces particules pénètrent dans l'atmosphère terrestre au niveau des régions polaires où elles font naître des aurores boréales, « les lumières du Nord et du Sud ». Le vent solaire souffle par bourrasques et donne lieu à des distorsions périodiques du champ magnétique terrestre.

Durant les périodes d'éruptions solaires, quand le soleil est particulièrement turbulent, il souffle dans l'espace un violent vent solaire. Pendant ces orages solaires, le métabolisme de l'homme et de l'animal connaît une recrudescence d'activité dans le monde entier. Quand le soleil est calme, le vent solaire n'est plus qu'une légère brise régulière.

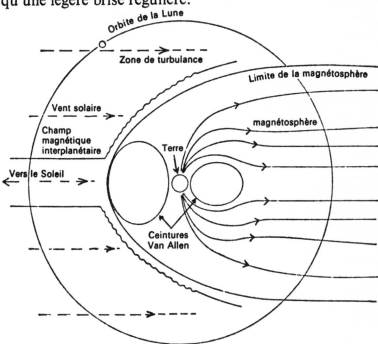

Intersection du champ magnétique du Soleil
et du champ magnétique de la Terre.

La terre, qui tourne sur son axe en 24 heures par rapport au soleil (jour solaire) et en 24,8 heures par rapport à la lune (jour lunaire), effectue sa révolution dans cet environnement électromagnétique fluctuant. La lune, dont la révolution dure 29,5 jours (le mois synodique), traverse sans cesse le flot des radiations électromagnétiques en route vers la terre en provenance du soleil. La lune provoque des variations quotidiennes et mensuelles du champ magnétique terrestre. On peut appeler ces variations les marées magnétiques.

155

Les principales forces de l'univers sont les forces nucléaires, les forces électromagnétiques et les forces de la gravitation. Les forces nucléaires sont puissantes, mais elles agissent sur de très courtes distances. Nous avons déjà mentionné les forces électromagnétiques. Nous vivons dans un monde électromagnétique. Les matériaux de tous les jours, y compris le tissu cellulaire du corps humain, sont maintenus en forme grâce aux forces électromagnétiques qui relient les atomes entre eux. Tout organisme humain ou animal peut être considéré — d'une manière simplifiée — comme un amas de forces électromagnétiques que leur peau, seulement, sépare des forces électromagnétiques de l'environnement. Cette peau est une membrane semi-perméable, qui permet le passage des forces électromagnétiques dans les deux sens, et maintient un équilibre dynamique entre les champs électromagnétiques externes et internes. Dans une certaine mesure, la gravité est la plus puissante des forces de l'univers. Elle unit la terre au soleil et la lune à la terre. L'intensité de la force de gravitation reliant deux corps est fonction de la masse de ces corps et de la distance qui les sépare. Plus grande est la masse, plus grande est l'attraction. Plus des corps sont éloignés l'un de l'autre, plus cette force est faible. Quand la force de gravitation est forte, la force nucléaire est faible, et vice versa. Ces forces nucléaires sont négligeables quand les distances sont très grandes. Les forces de gravitation, de faible importance sur de courtes distances, contrôlent les rapports entre les planètes, ainsi que les mouvements de tous les corps célestes de l'univers. C'est la gravité qui maintient l'intégrité d'une étoile et lui conserve sa chaleur. La gravité contribue à la génération de la chaleur nécessaire à la formation de chacun des éléments qui nous composent, nous et notre planète.

Toute forme de vie et tous les phénomènes astrophysiques sont les manifestations qui résultent de ces trois forces : forces gravitationnelles, forces électromagnétiques et forces nucléaires. Parfois, elles collaborent dans l'harmonie, parfois elles se contrarient et provoquent des catastrophes.

Au moment de sa mort, Albert Einstein cherchait à établir une théorie du champ unitaire. Il cherchait le moyen d'appréhender toutes les forces connues de l'univers physique en un vaste champ unitaire de forces en action continuelle les unes sur les autres. Le concept de champ unitaire aide à comprendre l'interaction des cycles lunaire et solaire et permet d'expliquer les marées biologiques. Cette théorie du champ unitaire rend plausible, voire même inévitable, l'interconnexion des phénomènes suivants :

— les marées atmosphériques constatées dans des phénomènes comme les précipitations, les variations de pression barométrique, la formation d'orages et d'ouragans tropicaux ;

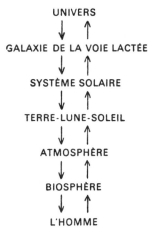

L'UNIVERS EST UN SYSTÈME OUVERT

UNIVERS
↓ ↑
GALAXIE DE LA VOIE LACTÉE
↓ ↑
SYSTÈME SOLAIRE
↓ ↑
TERRE-LUNE-SOLEIL
↓ ↑
ATMOSPHÈRE
↓ ↑
BIOSPHÈRE
↓ ↑
L'HOMME

Tout événement se produisant à n'importe quel niveau de l'échelle a des répercussions à tous les autres niveaux.

157

— la périodicité lunaire dans les courants électriques et les courants d'ions de l'ionosphère;

— les rythmes lunaires dans le magnétisme fluctuant de la terre;

— les rapports entre le comportement humain et les courants d'ions ambiants durant les périodes de vents chauds et secs.

On peut considérer l'univers comme un système hiérarchisé ouvert ayant l'univers au sommet et la biosphère et la vie à la « base ». Chaque élément et chaque force de ce système ouvert est en interaction avec chacun de tous les autres éléments et forces. Les phénomènes qui se produisent dans n'importe quelle partie du système sont répercutés dans toutes les autres parties. Les phénomènes de la biosphère affectent non seulement la vie sur terre, mais aussi ils irradient vers l'extérieur dans toutes les autres régions de l'univers. Les éruptions solaires produisent des orages magnétiques qui traversent la biosphère avant de venir affecter les processus vitaux. Les transmissions radio, les expériences nucléaires, les courants électriques, émis par l'homme et même l'emploi d'aérosols, provoquent des changements dans la biosphère immédiate, dans les couches supérieures de l'atmosphère, et peut-être dans le système soleil-lune-terre lui-même. Nous faisons partie intégrante de l'univers en constant changement et nous devons accompagner cette fluctuation, si nous voulons survivre.

J'ai déjà présenté dans un autre chapitre l'analogie entre la composition de la surface de la terre et l'organisme humain. Il est raisonnable de penser que l'organisme humain réagit de la même façon que la terre aux forces de la gravitation comme aux fluctuations géoélectromagnétiques. Mon hypothèse des marées biologiques, dans sa forme la plus simple, stipule que le corps humain est sensible aux mêmes influences cosmiques que la terre et que les rythmes vitaux suivent celui des marées comme le font les océans, la croûte terrestre et le champ magnétique de notre planète.

La gravité exerce une influence directe sur l'eau du corps, et une influence indirecte au moyen du champ électromagnétique. Cette influence est sensible, pense-t-on, à deux niveaux : le système nerveux et l'eau du corps. Le corps est composé pour 80 p. 100 d'eau et pour 20 p. 100 de « terre » ou de solides. C'est pourquoi on peut raisonnablement penser que la gravité exerce son action directement sur la masse d'eau du corps comme elle le fait sur l'eau de la planète. Une marée biologique se produit donc selon un rythme connu, quotidien et mensuel. Quand la force de la gravitation est exceptionnellement forte (c'est-à-dire quand il y a une coïncidence de plusieurs cycles cosmiques) les marées du corps sont aussi d'une exceptionnelle ampleur. Dans un système qui fonctionne bien, ces marées doivent normalement se dissiper rapidement et la tension des fluides doit rapidement redevenir normale.

L'effet indirect de la gravité se fait sentir en même temps que l'effet direct au moyen du champ électromagnétique terrestre. Les parasites de l'environnement résultant d'un certain nombre d'événements extraterrestres (taches solaires, éruptions solaires, vent solaire, rayons cosmiques ou marées de gravitation exceptionnelle dues à des configurations planétaires particulières) provoquent de graves perturbations du champ électromagnétique qui entoure les organismes humains. Toute modification du champ électromagnétique produit un effet Piccardi sur l'eau du corps. Les propriétés physiques de l'eau et la répartition des colloïdes en suspension dans les fluides physiologiques subissent un changement important et soudain. Ce changement des propriétés physiques de l'eau, joint à une modification de la perméabilité des cellules des membranes (effet

Dubrov), modifie la libre circulation des fluides du corps d'un compartiment de fluide aux deux autres. La nature même de l'eau du corps se trouve modifiée et le passage des fluides au travers des membranes est détraqué. Dans des cas comme celui-là, la sensation d'inconfort et d'engorgement peut durer plusieurs jours.

Le second niveau d'influence de la gravité est le système nerveux. Là aussi, je pense qu'il existe un effet direct de la gravité et un effet indirect par l'intermédiaire du champ électromagnétique terrestre. En ce qui concerne l'effet indirect, selon le Dr Robert Becker, toute fluctuation et toute perturbation du champ électromagnétique terrestre se trouve amplifiée par des nodules situés sur le réseau des nerfs du corps. Ces nodules amplificateurs sont capables de moduler la conduction de l'influx nerveux. Les propriétés électriques de conducteur des nerfs eux-mêmes sont altérées et la propagation de l'influx nerveux se trouve modifiée. Ces influences sont capables d'accroître la sensibilité du système nerveux, ou au contraire de le rendre moins sensible et plus paresseux que la normale. Les changements produits dépendent de l'état de réceptivité de l'organisme — positif ou négatif.

On sait peu de chose concernant l'effet direct de la gravité sur les solides du corps. Il est fort probable que cette action se fait sentir aussi par l'intermédiaire des nerfs. Je pense personnellement qu'on trouvera un jour l'existence de « gravorécepteurs » dans le corps humain. Ils pourraient bien se situer le long des nerfs et sur les parois des vaisseaux sanguins. Ces gravorécepteurs, sensibles à toute variation de la force de gravitation, transmettraient immédiatement des informations sur les modifications du fonctionnement des systèmes nerveux et vasculaire.

Après avoir étudié le fonctionnement de la glande pinéale chez l'homme, je pense que cette glande sert aussi de gravorécepteur. On sait qu'elle se comporte comme un centre de transmissions électriques et de transformations chimiques, qu'elle est capable de recevoir des signaux électrochimiques venant du corps comme de l'environnement, qu'elle les convertit en hormones pinéales : la mélotonine et la sérotonine. Ces hormones agissent sur les rythmes biologiques qui régulent la sexualité et la reproduction. Il est possible d'envisager que la glande pinéale recevant des informations électromagnétiques et gravitationnelles, de l'intérieur comme de l'extérieur, réalise la synthèse de ces informations et expédie des signaux vers les vaisseaux sanguins, les nerfs et les organes sexuels! S'il en est ainsi, ces signaux pourraient bien servir de contrôle des processus rythmiques biologiques et protéger l'organisme contre tout désordre et tout désaccord interne, provoqués soudain par une perturbation intense de l'environnement. C'est dans ce sens que l'on peut dire de la glande pinéale qu'elle amortit les chocs venant de l'environnement.

Nous pouvons suivre les effets des marées biologiques en utilisant la théorie des systèmes généraux et en prenant celle du champ unitaire comme modèle. A un bout de la chaîne, nous avons la vision microscopique des rapports entre le corps et l'environnement extérieur. Le corps humain est constitué intérieurement de paquets de cellules, baignant dans de l'eau extracellulaire. Elles reçoivent l'énergie de l'influx nerveux qui se propage sous forme électrochimique le long des nerfs. L'installation électrique du corps en quelque sorte! Comme chaque impulsion nerveuse progresse dans le corps, le long d'une fibre nerveuse, un minuscule champ électromagnétique circulaire se trouve ainsi généré. Quand cette impulsion atteint l'extrémité de la fibre nerveuse, elle libère des produits chimiques de neurotransmission. Ces produits chimiques transportent l'impulsion nerveuse vers une autre fibre nerveuse, ou vers un centre de cellules bien précis, un muscle, une glande, ou un vaisseau sanguin, etc. Ces substances de neurotransmission (dopamine, acétylcholine, sérotonine, norépinéphrine, acide aminobutyric gamma) agissent sur les cellules visées, de façon à déclencher ou à inhiber leur fonctionnement.

Examinons maintenant l'autre extrémité de ce système cosmobiologique. Les forces cosmiques agissent constamment sur la terre d'une manière rythmique. Des perturbations, venant du soleil ou d'ailleurs dans la galaxie, provoquent une distorsion massive de ces rythmes cosmiques. On appelle ces distorsions des « parasites ». Ils ont un impact sur l'ionosphère qui constitue la couche externe des enveloppes de protection de la terre. Des changements d'ionisation et des modifications de l'équilibre électromagnétique de l'ionosphère résultant des impacts cosmiques sont transmis vers les niveaux inférieurs au travers de l'atmosphère. Ils finissent par perturber l'équilibre électromagnétique de l'atmosphère au niveau du sol.

N'importe quelle source peut produire des parasites. On trouve des parasites d'origine électromagnétique et d'origine gravitationnelle. Les parasites de nature différente sont en interaction les uns sur les autres. D'après la théorie du champ unitaire, toutes les forces sont en résonance et en interaction les unes avec les autres.

Imaginons une configuration de cycles cosmiques, par exemple, une pleine lune qui coïncide avec un périgée lunaire et avec une éclipse de lune. Le soleil, la lune et la terre se trouvent alignés dans le même plan géométrique. A ce moment-là, la force de gravitation qui pèse sur la terre est bien supérieure à la marée de gravitation quotidienne. De plus, le champ magnétique de la terre se trouve fortement distordu par les champs magnétiques du soleil et de la lune, avec qui la planète est alignée. Les parasites électromagnétiques consécutifs agissent sur notre ionosphère et désorganisent complètement les courants d'ions et les courants électromagnétiques. Ces forces ont des répercussions dans la biosphère. L'organisme humain se trouve soudain bombardé par des variations importantes de la gravité et du champ électromagnétique ambiant. Ces modifications détruisent l'équilibre établi au niveau de notre corps entre nos organismes internes et le monde extérieur.

Les perturbations soudaines nous affectent profondément. Comme nous l'avons décrit plus haut, le système nerveux devient plus sensible, la propagation de l'influx nerveux est changée. Il se forme des engorgements ou des insuffisances d'eau dans diverses parties du corps.

Les personnes équilibrées d'un point de vue émotionnel et physiologique tolèrent ce surplus d'efforts, ressentent un inconfort physique ou émotionnel minimal. Même dans le cas de parasites très importants, résultat d'une forte perturbation, un nouvel équilibre s'établit rapidement. Tout inconfort est passager et très supportable. Ce sont ces parasites de l'environnement qui peuvent vous avoir donné l'impression certains jours qu'il est inutile d'essayer de faire quoi que ce soit ou de communiquer avec quiconque. A la suite de ces tensions cosmiques accrues, bien des gens souffrent de migraines légères, de périodes dépressives passagères, de mauvaise humeur ou d'insomnie. L'impression qu'aujourd'hui « ce n'est pas le jour » peut avoir parfois une origine extraterrestre.

Des personnes instables et d'humeur incertaine, souffrant d'un surmenage physique et affectif, peuvent traverser des périodes d'échecs quand la pression cosmique est excessive. Si ces personnes ont des tendances violentes, elles peuvent alors perdre complètement tout contrôle sur elles-mêmes.

D'autres chercheurs que moi-même ont étudié cette

théorie des marées biologiques sous maints aspects. F. G. Sulman qui travaille en Israël a démontré que dans son pays deux fois par an, quand souffle le sharav, le nombre de maladies mentales et physiques connaît une recrudescence due à un excès d'ions positifs au ras du sol. Leur nombre excessif provoque une production accrue de sérotonine dans le système nerveux central. Les petits vaisseaux sanguins se contractent faisant monter la pression du sang et le passage des fluides physiologiques d'un compartiment de fluide à un autre est affecté. La sérotonine est donc liée au processus de marée haute dans le corps, car elle affecte la pression des fluides dans l'un des trois compartiments.

Il existe une action étonnante de la sérotonine. Le biologiste Harry Rounds a analysé le rythme lunaire des substances du sang responsables de l'accélération du rythme cardiaque chez les cafards, les souris et les hommes. Il a de fortes raisons de penser que la sérotonine est l'une de ces substances accélératrice du rythme cardiaque et qui agit en suivant le rythme de la lune. Si ceci est exact, la présence de sérotonine en quantité suffisante dans le sang, immédiatement après la nouvelle et la pleine lune, pourrait expliquer le déséquilibre des fluides et l'irritabilité qui accompagnent le syndrome biologique de marée haute. Il ne serait pas surprenant qu'une étude approfondie des autres substances de neurotransmission ne finisse par mettre en évidence une périodicité lunaire à leur niveau aussi.

La découverte chez les humains, par Andrews Rhyne et par d'autres chercheurs, de périodes de saignements excessifs durant la nouvelle et la pleine lune apporte une confirmation supplémentaire de la théorie des marées biologiques.

Je pense qu'un jour ou l'autre nous parviendrons à affecter à un processus physiologique spécifique les effets des forces électromagnétiques. Le Dr Dubrov a étudié l'influence des champs électromagnétiques sur la perméabilité des cellules des membranes — autre mécanisme qui intervient probablement dans le syndrome de haute marée biologique. Selon le Dr Becker, le système nerveux est affecté directement par les changements de champs électromagnétiques. D'autres savants partagent son avis, notamment Presman, Lang, Persinger et Ossenkopp.

Il apparaît clairement maintenant qu'il existe une constante interaction entre l'homme et l'univers, qu'ils évoluent de concert et plus on observe leur relation, plus on la trouve étroite. Notre étude et celles de nombreux autres depuis ces dernières années affirment l'existence d'un équilibre dynamique entre l'homme et l'univers. Cette conception est parfaitement plausible. Elle est compatible avec les opinions des principaux savants et philosophes au cours des temps, en particulier avec la théorie du champ unitaire de Einstein, avec la théorie de l'évolution de Darwin et avec la théorie des systèmes généraux de Ludwig Von Bertalanffy.

Dans la perspective d'une interaction unitaire, je pense que la cosmologie — nouveau domaine de la science — se développe sous nos yeux. Cette discipline, qui met fin à une vision compartimentée de la science, met en lumière les rapports de l'homme et de l'univers selon les lois naturelles connues ou en cours de découverte.

Un certain nombre d'appellations nouvelles désignent maintenant *les disciplines relatives* aux différents domaines qui traitent des liens de cause à effet entre toute modification de l'environnement et les réactions biologiques humaines et animales. En voici quelques unes : la climatologie médicale, la biométéorologie, la chronobiologie, la météoropsychiatrie, l'écobiologie et le biomagnétisme. Chacun de ces étroits domaines traite d'un aspect de l'ensemble. Jusqu'à présent, il n'existait aucune synthèse capable de donner une vision globale. Les découvertes intéressant ces problèmes datent de ces vingt dernières années ; elles viennent de pays différents et sont exprimées dans des langues différentes. Ce que j'ai tenté de faire ici constitue une première synthèse dans une perspective cosmobiologique. Ce terme de cosmobiologie a été employé par le Dr W. F. Petersen dans les années 1940. Il a peut-être été inventé plus tôt par d'autres chercheurs. Il traduit d'une manière adéquate les efforts conjugués des savants de plusieurs disciplines, tous spécialisés dans l'étude de l'homme situé dans son environnement géophysique naturel, et dans le cosmos en général.

Pour qu'une théorie soit recevable, elle doit rendre compte de tous les phénomènes observés. Nous avons déjà fait remarquer que la latitude et la longitude ont un rôle régulateur sur les cycles biologiques. Ceci est apparu nettement sur le graphique des homicides de Cleveland, avec ses points culminants décalés dans le temps. Des recherches au niveau des rythmes de croissance des populations animales ont fait apparaître des retards dus à la latitude. C'est ce que Leonard Wing a appelé « un passage latitudinal » et qu'il a mis en évidence dans de nombreux cycles naturels. D'autres chercheurs ont remarqué que les phases de certains cycles naturels se trouvaient décalées en fonction de la latitude — en particulier chez les oiseaux qui, à l'approche de l'hiver, descendent vers l'équateur, pour remonter ensuite vers le Nord pendant l'été.

Pour localiser avec précision les effets de la lune sur le comportement humain — compte tenu de la situation géographique de l'individu — il faudrait mener de très longues études. La situation idéale, pour chaque comportement, consisterait à faire des observations dans plusieurs villes situées à des latitudes semblables mais à des longitudes différentes, et la même chose dans d'autres villes situées à des longitudes semblables et des latitudes différentes. La fantaisie qui caractérise les relevés officiels dans une ville ou dans une autre anéantit tous les efforts. On pourrait approcher le problème par le biais d'observations animales dans différents endroits. Ceci demanderait un effort de dimension internationale. Heureusement, des expériences en divers lieux sont en cours et se poursuivent dans le but de tester cette théorie des marées biologiques.

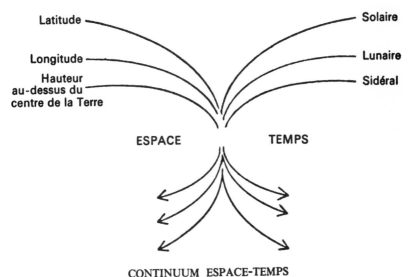

CONTINUUM ESPACE-TEMPS

Einstein a conçu l'idée selon laquelle le temps et l'espace ne font qu'un. Pour nous, l'espace a trois dimensions, la latitude, la longitude et la hauteur au-dessus du centre de la terre. Le temps est lui aussi pluridimensionnel. Pour ce qui nous concerne, nous considérons qu'il existe une éternelle interaction entre un temps solaire, un temps lunaire et un temps sidéral.

Le champ électromagnétique au niveau de la terre fluctue constamment et varie avec le temps et l'espace.

167

Le magnétisme terrestre et la nature en général se caractérisent par l'absence de constantes. Ceci explique pourquoi des recherches semblables effectuées dans des lieux différents donnent des résultats différents. Il en est de même pour des recherches effectuées au même endroit à des moments différents.

Le temps biologique est relatif. Il est le reflet des actions conjuguées de toutes les variables de l'environnement qui agissent sur l'organisme à un moment unique dans l'espace et dans le temps.

La preuve la plus convaincante de l'existence d'une composante d'origine lunaire dans les rythmes biologiques humains m'a été donnée alors même que cet ouvrage, *les Pouvoirs de la lune,* était sous presse. A la fin de l'année 1977, le Dr L. E. M. Miles et ses collègues médecins de l'université de Stanford ont publié le rapport de leurs études des rythmes biologiques d'un homme de vingt-huit ans, physiologiquement normal, mais aveugle de naissance. Cet homme vivait et travaillait parmi des voyants. Il était atteint de graves troubles du rythme de la veille et du sommeil. Depuis plusieurs années, et parfois pendant plusieurs semaines d'affilée, il souffrait d'insomnies la nuit et de terribles envies de dormir le jour, ce qui troublait son travail comme ses loisirs.

Il fut soigné dans un laboratoire de sommeil où l'on plaça les ondes de son cerveau sous monitoring et où l'on étudia les sécrétions hormonales et les échanges chimiques de son corps en fonction du temps. Les résultats furent dramatiques. Quand le patient était isolé de toutes données appartenant au temps solaire ou temps du calendrier, ses fonctions biologiques étaient réglées selon un rythme lunaire (24,9 heures), les rythmes circadiens de son corps, température interne, état de veille, mouvements, sécrétion de cortisol, excrétion électrolytique urinaire, ne suivaient pas le synchronisme

168

social normal de 24 heures. Les fonctions biologiques de cet homme avaient une périodicité de 24,85 heures. Le rythme de son sommeil était synchronisé sur une période de 24,9 heures. Curieusement, on remarqua une coïncidence entre le début du sommeil et une marée basse locale.

Le fait qu'un individu isolé de toutes données temporelles de nature solaire adopte un rythme biologique lunaire constitue une preuve supplémentaire que les rythmes circadiens humains sont de nature mixte. Ils résultent de l'influence conjuguée des rythmes lunaire et solaire. Ceci confirme le concept des marées biologiques.

10

APPLIQUER NOTRE CONNAISSANCE DE LA LUNE

Comment la société devrait-elle exploiter ce que l'on connaît du pouvoir de la lune?

D'après mon expérience, j'ai constaté que les personnes posées et équilibrées pouvaient n'être qu'à peine influencées par les phénomènes cosmiques comme les phases de la lune ou les taches solaires. Dans ce cas, avoir l'esprit constamment occupé des influences cosmiques peut aboutir à l'effet contraire. Cependant, est-ce que certaines personnes ne devraient pas tenir compte de la lune avec régularité? En effet, une bonne partie des habitants des villes et des faubourgs restent en marge de la réalité : ce sont les alcooliques, les drogués, les individus portés à la violence ou sujets aux accidents, ou encore ceux qui ont un penchant criminel. Ces types de tempéraments sont d'une grande instabilité, ils n'ont presque aucune maîtrise de soi et contrôlent mal leurs émotions. Ils ont tendance à vivre dans un état psychologique constamment instable. Toute perturbation surpassant celles qu'ils ont l'habitude de supporter chaque jour peut devenir subitement intolérable.

Des bouleversements dramatiques peuvent survenir dans le caractère et les sentiments d'un homme lorsque l'imperceptible réseau des forces environnantes est brusquement modifié.

Si l'on tient compte de cela, il serait bon que les médecins, les sociologues, la police, les pompiers, et les services hospitaliers soient prévenus des éventuelles perturbations provenant du cosmos. L'on doit se rappeler que les facteurs de troubles sont fort nombreux dans la nature : ils peuvent venir des tensions gravitationnelles, ou électromagnétiques, ou atmosphériques, etc.

Ceux dont l'équilibre nerveux est fragile ne sont pas perturbés autrement que vous ou moi, puisque personne n'échappe aux actions ambiantes de l'environnement géophysique. Nous nous trouvons sans arrêt baignés dans les champs électriques et ionisés ; nous sommes sans cesse bombardés de radiations. La plupart d'entre nous pouvons supporter une certaine tension, et savons contrebalancer les légères augmentations des forces provenant de variations dans l'environnement. Mais, pour ce qui est de l'homme qui n'a qu'une faible maîtrise de soi et qui est très sensible aux forces cosmiques, l'on comprendra mieux sa situation si nous l'imaginons debout sur une corde raide : alors que sur le sol il serait difficile de le faire tomber même en le secouant, ici il aura beaucoup de mal à garder son équilibre, par manque d'expérience. Un hurlement, un cri, ou même un souffle de vent peuvent le faire tomber ; comme on le voit, il suffit de rien de plus qu'une légère turbulence pour arriver à un tel résultat, quand l'équilibre est précaire.

Les causes d'instabilité mentale et émotionnelle chez les hommes sont très nombreuses. Quelquefois, cela peut être dû à un traumatisme violent datant de l'enfance, ou à la vie dans la famille. Leurs désordres psychiques ne sont d'ordre ni biologique ni chimique, mais c'est leur conditionnement qui affecte leur personnalité et leur donne des difficultés à s'intégrer dans la vie. Par contre, il est connu que certaines caractéristiques génétiques biochimiques peuvent prédisposer des individus au déséquilibre de la personnalité. On sait, par exemple, que la schizophrénie et la psychose maniaco-dépressive sont des troubles qui provoquent, par voie héréditaire, une grande instabilité d'esprit. Ceux qui en sont atteints ont un comportement extrêmement bizarre : ainsi leur « désappointement », qui est un symptôme précis. De récentes recherches montrent que plusieurs d'entre eux sont plus enclins aux rechutes aux environs de la pleine et de la nouvelle lune.

L'on sait que les troubles des schizophrènes et de ceux dont l'équilibre de la personnalité est fragile — ceux qui ont tendance à transformer la moindre perturbation en psychose — sont héréditaires. Les chercheurs en psychiatrie commencent à étudier les imperfections génétiques, à les classifier et à découvrir les anomalies biochimiques qui se rencontrent dans le système nerveux. Qu'est-ce qui rend ces personnes fragiles? Simplement un événement contrariant : des raisons de famille, une séparation douloureuse ou un licenciement. Ces causes de perturbation viennent de n'importe où, y compris des bouleversements cosmiques.

Nous n'avons cependant étudié qu'un seul type de désordres. D'un point de vue pratique, les perturbations du cosmos ont cet avantage, si nous en tenons compte, d'être prévisibles. Autrement dit, si nous voulons nous prémunir contre les effets des cycles cosmiques, nous devrions essayer de faciliter leur prévision.

Il existe des substances chimiques et des médicaments qui préviennent les excès de désordre; un grand nombre de tranquillisants peuvent abaisser le seuil de l'irratibilité et, par là, améliorer la réaction à la perturbation. Il est possible d'utiliser des diurétiques puissants qui réduisent la tension au niveau des tissus et rétablissent plus ou moins l'équilibre des fluides physiologiques. Le lithium carbonate employé comme stabilisant dans le traitement des dépressifs chroniques a abouti à une énorme amélioration de la vie de ces malades. On suppose que cette substance agit sur la membrane du nerf postsynaptique : si, au cours d'une crise, les impulsions dans le nerf sont trop intenses, le médicament modifie les mécanismes de propagation de l'influx et stabilise ainsi l'état nerveux du malade et l'eau dans le corps. On voit donc que nous avons et les instruments et les méthodes pour remédier aux déséquilibres biochimiques qui affectent les individus au comportement anormal.

Je reçois souvent dans mon cabinet des personnes qui sont des dépressifs chroniques stabilisés par un traitement au lithium ; ils s'en portent généralement bien et n'ont plus de symptômes. Cependant, il arrive que plusieurs d'entre eux, *à la même époque,* se plaignent d'un retour de leurs crises (fatigue, dépression, insomnie, tachycardie, sentiment de désappointement). Je fais faire alors un examen de sang et, invariablement, il se trouve que le taux de lithium est au-dessous du niveau thérapeutique. Une augmentation temporaire de la dose supprime ces troubles. Quelques jours plus tard, ils peuvent revenir à leur prescription habituelle, avec la certitude que les symptômes ne renaîtront pas avant quelque temps. Je suis certain que la cause de ces désordres provient des phénomènes atmosphériques perturbants auxquels ces malades réagissent en masse. Parmi les facteurs de désordre, le plus vraisemblable est la lune — bien qu'une soudaine intensification des taches solaires ou des émissions de rayons cosmiques puisse aussi provoquer de tels déséquilibres du métabolisme.

Mes patients acceptent avec soulagement mes explications : ils paraissent rassurés en apprenant que ce n'est pas le lithium qui n'agit plus sur eux. D'après mon expérience, la dose quotidienne de lithium n'est pas constante, et le traitement peut être désorganisé de temps à autre s'il est contrarié par des turbulences dans l'environnement géomagnétique auquel les dépressifs chroniques sont particulièrement sensibles.

Maintenant, nous sommes confrontés à un épineux problème philosophique. Comment pouvons-nous démontrer l'utilité de l'application préventive de ces méthodes ?

Regardez le pourcentage des crimes dans n'importe quelle ville ! Nous enfermons les pauvres dans des ghettos surpeuplés, où règne la colère. Les pistolets sont à la portée de tous. La violence est un phénomène courant et périodique. Devrions-nous soigner tout le monde avec des médicaments ? Devrions-nous rechercher les individus violents par leurs casiers judiciaires pour les obliger à avaler des pilules contre leur volonté, à chaque fois qu'une augmentation des forces gravitationnelles et/ou géomagnétiques est prévue ? Cette « solution » pourrait engendrer plus de violence qu'elle n'en voulait guérir ; de tels procédés ressembleraient à du fascisme. Tout cela rappelle particulièrement *Orange mécanique*, le roman effrayant d'Anthony Burgess sur le contrôle totalitaire du comportement.

Il se trouve beaucoup de gens qui estiment qu'il faudrait, par la force et contre son gré, brider la conduite de quiconque est considéré comme un « individu asocial ». Et il y a aussi de nombreuses personnes qui pensent que nous n'avons aucun droit de contraindre le comportement d'un quelconque être humain. La vérité est celle-ci : la société n'a, légalement, pas le droit d'asservir le comportement d'un individu contre son gré... mais tout le monde devrait en être convaincu !

Les intentions de « droguer » ceux qu'on dénomme

« individus asociaux » sont plus souvent motivées par un désir de vengeance que par le bon sens. Le fait est que, pour la grande majorité, les criminels n'ont jamais tué auparavant! La plupart d'entre eux n'ont aucun fichier de criminel. Les assassins récidivistes ne forment habituellement, parmi eux, qu'une petite minorité. La source de violence criminelle de loin la plus fréquente réside dans les dissensions domestiques, entre membres de la famille ou entre des amis, surtout quand l'alcool est en cause. On ne peut savoir à l'avance qui va se transformer en criminel cette nuit.

Il existe heureusement des moyens grâce auxquels notre connaissance des forces cosmiques et de leurs effets peut être utilement exploitée. Lorsque le client d'un psychiatre ou d'un psychologue manifeste de brutales et périodiques crises maniaques, tout en étant par ailleurs un homme normal, il nous est possible d'appliquer nos connaissances sur ce qui déclenche ces symptômes. Auparavant, on considérait qu'un tel comportement était provoqué par la lune, et on appelait ceux qui en étaient affectés des « lunatiques ». Ce mot « lunatique » vient du latin « lunaticus », lequel était fréquemment employé par les savants et les philosophes romains qui l'appliquaient vraisemblablement aux épileptiques, car ils avaient observé que leurs crises devenaient plus nombreuses lors de la nouvelle et de la pleine lune. Et « lunatique » finit par être utilisé d'une manière plus générale à propos des personnes qui manifestaient des troubles cycliques du comportement, entrecoupés de longues périodes de lucidité et d'état normal.

Le syndrome bien connu des dépressions maladives chroniques rejoint l'idée de l'ancien mot « lunatique ». Ces caractéristiques sont des périodes de comportement violent, étrange, surexcité et déraisonnable, espacées d'états normaux et productifs. On ne trouve chez ces personnes aucun trouble de la pensée, ni de psychose, ni de symptômes propres aux maladies mentales en général.

Des études, en particulier celle publiée par le Dr Michael H. Stone dans les *Psychiatric Annals* de 1976, montrent que la fréquence des crimes tend à s'accentuer avec la nouvelle et la pleine lune. L'augmentation du nombre des traitements à base de lithium effectués sur les psychoses maniaco-dépressives a beaucoup contribué à comprendre les mécanismes neuro-chimiques de ces désordres. Le lithium, comme on l'a vu plus haut, régularise la propagation des influx nerveux ainsi que l'équilibre aqueux du corps et l'état mental. Le mécanisme par lequel il agit est en accord avec l'idée que les rechutes correspondent à une situation d'excessive marée haute dans le corps. Le rétablissement apporté par le lithium suggère qu'une marée biologique dangereusement haute peut être guérissable par la simple injection d'une substance chimique dans le corps.

Tout cela est passionnant. Il est parfaitement possible de penser que les phases dramatiques que subissent les personnes instables peuvent être dues à une marée biologique excessivement haute. Jusqu'à présent, l'utilisation expérimentale du lithium s'étend au traitement préventif des dépressions périodiques, des états nerveux cycliques, et des comportements agressifs épisodiques. C'est ici que peut se trouver la possibilité de réduire les effets pathologiques dus au soleil et à la lune sur les troubles physiologiques biochimiques et sur ceux du comportement.

L'on peut éviter à beaucoup de patients une prescription prolongée de tranquillisants, simplement en rétablissant l'équilibre aqueux de leur corps; nous savons les rendre plus résistants, aussi bien dans leur vie sociale que dans l'environnement géophysique, aux forces subtiles qui déclenchent leurs troubles. Du point de vue des

177

rapports entre le médecin et le patient, ces renseignements devraient se montrer extrêmement utiles.

Nous devrions tout aussi bien pouvoir exploiter notre
connaissance des effets cosmiques d'une façon fruc-
tueuse sur une grande échelle de la société. Si nous
pouvons prévoir une période où, dans une région
déterminée, il se produira un bouleversement du comportement, nous pourrons décider à l'avance d'un
programme adapté. Ainsi, mon travail de détermination
des prévisions, fondé sur la coïncidence des cycles
cosmiques, avait-il conjecturé une période de bouleversement général : les rapports sur la mortalité, les accidents
et les maladies mentales montrèrent qu'ils avaient
augmenté d'une manière significative.

Les mesures à prendre sont simples et rationnelles. La
population pourrait être informée par les médias qu'elle
doit s'attendre à une augmentation de la nervosité et de
la démence, pouvant provoquer des accidents et des
discordes. La police, les pompiers et les services
ambulanciers pourraient être tenus en alerte et leur
matériel mobilisé durant les périodes dangereuses. Dans
les hôpitaux, on pourrait s'assurer que les chambres et le
personnel supplémentaires sont en nombre suffisant.

Il serait possible d'objecter à cela qu'un tel état
d'alerte et de vigilance pourrait semer la panique. Quant
à moi, je ne le pense pas : ainsi que je l'ai fait remarquer,
la police, les pompiers et le personnel des salles
d'urgence dans les hôpitaux sont, le plus souvent, déjà
persuadés de l'influence de la lune sur la maladie
mentale, les accidents et le comportement. Leur propre
expérience ne se verrait que confirmée par la reconnaissance officielle de cet effet. Cependant, la population
serait particulièrement rassurée si, par exemple, la
direction des hôpitaux veillait à ce que le personnel des
salles d'urgence soit augmenté durant ces périodes.

Il est important de bien envisager l'influence des

phénomènes du cosmos. La plus grande partie des actes de violence ne peuvent être mis en relation avec l'influence de la lune ou d'autres événements cosmiques; la lune meurtrière n'est responsable que d'une petite part de la violence.

Si l'on s'imagine la violence sous la forme d'un grand « apple pie » américain, la tranche correspondant aux actes commis sous l'influence de la lune ne représente pas plus que 2 ou 3 p. 100 du gâteau. Au contraire, si l'on considère la population mondiale entière, le nombre absolu des actes de violence est impressionnant. Aussi, s'il se trouve dans ce que nous avons appris un moyen permettant d'abaisser le niveau de la violence, nous aurons fait un important progrès.

Nos recherches à Miami nous ont conduits à découvrir une variable indépendante dans l'influence du comportement violent. Cela devrait nous amener, d'une part, à être prévoyants, et, d'autre part, à explorer, à travers la théorie des marées biologiques, quels sont les remèdes pouvant stabiliser l'équilibre de ces marées. Par exemple, la prescription pourrait être synchronisée en fonction des périodes de comportement aberrant. De telles mesures, qui sont relativement douces, seraient préférables aux traitements par électrochocs ou par la psychochirurgie, laquelle est appliquée actuellement sur certains patients manifestant un comportement violent cyclique.

Pour appliquer nos connaissances sur la lune, nous devrions nous baser sur un calendrier notant à la fois le temps solaire et le temps lunaire. Nous pourrions ainsi reconnaître les cycles du soleil et de la lune, et en particulier les moments de leur coïncidence. Les civilisations anciennes vivaient selon le calendrier lunaire, et les Israéliens, les Chinois, les Indiens et les musulmans l'utilisent encore. Il est intéressant de noter que dans ces sociétés l'on constate un plus petit nombre de crimes violents.

Grâce à la méthodologie des ordinateurs, nous pourrions créer un calendrier à la fois lunaire et solaire commode, qui nous permettrait de savoir à l'avance quels sont les jours où l'on doit s'attendre à une période de nervosité, de perturbations, de démence ou de propension aux accidents. L'utilité d'un tel calendrier devient évidente si l'on imagine que les gens de tous milieux et de toutes cultures pourraient reconnaître facilement les périodes d'éventuelles perturbations émotionnelles. Ce calendrier devrait être à la fois lunaire et solaire, car seule la combinaison des deux donne une vision globale de ce qui se passe à l'échelle du cosmos *.

Il faut bien se rappeler que la nouvelle et la pleine lune ne sont pas les seules phases qui peuvent être mises en relation avec les événements dont nous avons parlé : mes travaux ont montré que la violence humaine n'est pas exacerbée seulement durant ces périodes, et, à vrai dire, ce ne sont que les homicides et les agressions qui augmentent. Dans les hôpitaux psychiatriques, les services d'urgence se remplissent lorsque la lune est à son premier quartier, et se vident d'une façon significative lors de la nouvelle ou de la pleine lune.

On peut s'attendre aussi à ce que les périodes où certains comportements sont exacerbés varient avec le lieu géographique. Par exemple, à Cleveland, les flambées d'homicides surviennent environ trois jours après la nouvelle ou la pleine lune. Cet écart de trois jours représente le retard du cycle de la marée propre à cette

---

* La « Lunar Society », qui avait une grande renommée dans l'Angleterre des années 1770, tenait des réunions mensuelles à proximité de la pleine lune, de telle manière que ses membres pouvaient, au retour, chevaucher à la lumière de la lune. Parmi ces « lunatiques » se trouvaient Erasmus Darwin, James Watt, John Baskerville et Joseph Priestley. Tous des personnages passionnés de science et d'inventions.

région. Il est donc naturel de s'attendre à ce que l'on rencontre des différences entre les périodes de hausse selon chaque contrée; nos données ne peuvent être généralisées à toutes les parties du globe sans que l'on ait d'abord procédé à une étude sur le terrain.

L'importance des lieux géographiques n'est pas encore bien comprise. Si des études étaient menées partout dans le monde, cela permettrait de clarifier les effets de la latitude et de la longitude sur l'influence du cycle lunaire. Nous pourrions trouver une confirmation de l'hypothèse du Dr Wing concernant le passage latitudinal dans les phénomènes cycliques observés chez les animaux. Des recherches fructueuses sur le comportement animal, comme celle de F. A. Brown, de M. Klinowska et D. S. Bisbee, sont déjà entreprises en des endroits très divers. Des renseignements concernant les effets de la latitude et de la longitude sur de tels cycles devraient apporter des données précises aux spécialistes de disciplines diverses sur les points communs qui existent entre les cycles biologiques et le mental.

Dans ma profession de psychiatre, je me demande constamment dans quelle phase est la lune. J'ai noté, spécialement avec mes clients en gériatrie, les périodes où ces vieillards ne se sentent pas bien, et constaté le rapprochement avec telle perturbation atmosphérique, qu'elle vienne des taches solaires, des coïncidences de cycles cosmiques, ou de la nouvelle ou de la pleine lune. Je puis donc tranquilliser mes patients en leur disant que leurs troubles seront passagers, car ils sont liés au temps et aux désordres atmosphériques. Je n'ai pas encore eu l'occasion de prescrire des médicaments aux malades présentant de tels symptômes, mais je ne présage rien de l'avenir.

J'ai constaté que les vieillards sont plus vulnérables aux perturbations de l'environnement géophysique que les plus jeunes. Les personnes âgées sont naturellement plus fragiles, elles sont souvent malades et sujettes à des crises — nous avons remarqué que ces crises sont rattachées aux troubles atmosphériques. Elles sont dans un état de faiblesse générale et sont plus sensibles aux tensions de toutes sortes, y compris celles, subtiles, venant du cosmos.

J'ai vu entrer dans mon cabinet des clients se plaignant d'être des « tempéraments lunaires » et de se sentir déprimés ou tendus durant les périodes de nouvelle ou de pleine lune. Certains me racontent aussi qu'ils n'arrivent pas à dormir à cette époque ; certains se lèvent de leur lit et errent dans leur maison. Je vois aussi des personnes qui prétendent pouvoir dire, à leur humeur, si c'est la pleine ou la nouvelle lune.

Les personnes qui sentent l'influence qu'a la lune sur eux se rendent compte aussi de leur propension à la violence. Je reçois des lettres de prisonniers pour crime violent. Ils ne sont pas des professionnels du crime, et ils voudraient comprendre ce qui leur fait perdre leur sang-froid dans certaines situations, et savoir s'il existe un moyen de rétablir leur état mental et de les protéger contre eux-mêmes. Nos découvertes peuvent être utiles à ces personnes-là.

Bien sûr, la violence irraisonnée est due à un nombre presque infini de causes. Nous avons découvert une des causes et non des moindres de cette violence ; et, dans une certaine mesure, elle est prévisible. Tout un chacun devrait la connaître.

Il serait bon que l'on apprenne aux gens ce que nous avons découvert. Prévenus d'une période dangereuse, ils se retiendraient de boire inconsidérément, ils veilleraient à mettre sous clef leurs armes à feu, et seraient d'une extrême prudence au volant. Ma famille et moi prenons des précautions simples quand il se prépare une importante coïncidence dans les cycles cosmiques et que les autochtones sont nerveux. Rester chez soi à lire fait passer le temps sans risque.

Si je considère les réactions suscitées par mes travaux, je suis bien sûr que certaines personnes emprisonnées pour quelque crime horrible s'écrieront : « C'est la faute de la lune, pas la mienne! » En effet, il y a toujours des gens qui refuseront d'accepter la responsabilité de leurs propres actes, et qui chercheront à accuser n'importe qui. De nombreux avocats m'ont contacté, voulant plaider des circonstances atténuantes pour le criminel qu'ils défendent. Je voudrais préciser ici, clairement, que je n'ai découvert dans mes expériences aucun indice pouvant indiquer chez un individu donné une prédisposition aux influences cosmiques. Tous mes travaux se sont basés sur des statistiques, et celles que j'ai analysées concernant les criminels ne représentent qu'un ensemble d'éléments s'étalant sur plusieurs années. Je considérerais donc l'appel aux circonstances atténuantes comme une interprétation fausse et abusive de mes recherches.

Il devrait paraître évident que les possibilités d'applications sociales de nos connaissances sur la lune sont nombreuses. Le domaine de la cosmobiologie est tout nouveau; nous pouvons nous attendre, pour l'avenir, à des développements nombreux et intéressants qui, petit à petit, nous conduiront à des applications plus avancées. Pour le moment, les mesures les plus importantes se rangent en deux catégories. Dans la première, ce sont les mesures à prendre pour la société; elles consistent à avertir les services municipaux des coïncidences de cycles cosmiques pour qu'ils soient préparés à une augmentation de travail. La deuxième catégorie comprend les mesures à appliquer sur les individus. Lorsqu'une période de tensions ou de coïncidences cosmiques est prévue, nous devrions prendre quelques précautions simples pour éviter de nous trouver au mauvais endroit avec la mauvaise personne, et au mauvais moment. Il serait mal avisé de projeter, à une pareille époque, un jour de sortie en voiture dans la circulation intense de la ville. Une coïncidence entre une importante période de taches solaires et une pleine lune pourrait être un moment mal choisi pour demander à son patron une augmentation.

Mme Barbara Svens, directrice du service de la santé au Franklin Pierce College à Rindge, dans le New Hampshire, a étudié le rythme lunaire. Cela lui a fait suggérer qu'un certain type de divertissement devrait être prévu plutôt quand la lune est à son premier quartier que lorsqu'elle est nouvelle ou pleine. Elle a constaté que les gens sont plus calmes au moment des périodes de quartier de lune. Un exemple simple de planification serait d'inviter les orchestres de rock et « autres divertissements » pendant les époques tranquilles du mois. Un concert de rock s'est donné, en plein air, durant la pleine lune, à Boston; les désordres qu'il provoqua furent si importants que la ville interdit le déroulement d'autres concerts. Et Mme Svens de demander à bon escient : « Est-ce que de tels excès seraient arrivés si le concert s'était donné pendant le premier quartier de la lune, plutôt qu'à l'époque où elle était pleine? »

Tout est dans le rythme : nous pouvons apprendre à vivre en harmonie avec les forces cosmiques de notre environnement naturel si nous obéissons au rythme convenable et prenons quelques précautions.

Dans quelles mesures les forces cosmiques, tout comme un autre facteur déterminant, gouvernent-elles notre destinée? Dans certaines limites, nous sommes libres de notre devenir, bien que ce ne soit pas aisé. L'homme a décidé de se considérer comme différent et au-dessus des animaux parce qu'il s'estime capable d'autodétermination.

En fait, rares sont ceux qui parviennent à être maîtres

184

de leur destinée. Se déterminer soi-même demande une énorme dépense d'énergie, une grande maîtrise de soi et beaucoup de motivation. Seuls ceux qui savent prendre conscience des pulsions qui les dirigent, et savent les utiliser et les intégrer, peuvent aboutir à un certain libre arbitre. Cependant, mes recherches m'ont montré que même ces personnes subissent plus qu'elles ne veulent bien le reconnaître les désordres de l'environnement géophysique. Ceux qui peuvent prendre conscience des limites de leur propre liberté, et les accepter, peuvent continuer à vivre à l'intérieur et autour de ces frontières, et il n'est pas de meilleur exercice pour les facultés humaines.

Autrement dit, nous ne sommes libres que dans la mesure où nous avons pu découvrir et accepter les bornes de notre liberté; là est tout le problème de la libre volonté qui veut agir en harmonie avec l'Univers. Comment accepter ces limites afin de les transcender? La seule raison pure ne saurait nous tracer un chemin agréable dans la vie; pour que nos jugements soient bien fondés, il leur faut une partie de sensibilité et d'intuition. Aussi, paradoxalement, plus nous reconnaissons nos limites, plus nous sommes libres, puisque l'esprit perd alors moins de temps à suivre des voies sans issue.

La lune est une des nombreuses et subtiles forces cosmiques qui, par leur nature, déterminent notre rythme biologique dès la naissance, et nous apportent un modèle pour nous synchroniser avec l'Univers. D'autre part, il est indéniable qu'elle exerce une force sur notre corps et notre esprit.

Dans mes recherches et grâce à beaucoup d'autres études, j'ai rassemblé un grand nombre de faits et d'arguments scientifiques en faveur de l'indéniable influence de la lune. Les perspectives sont passionnantes et prometteuses. Néanmoins, la science, dans ce domaine, en est encore à ses balbutiements.

Parfois, la science souffre de ce que Jung a appelé « la désastreuse influence des statistiques ». Nous, les savants, devons découvrir d'autres formulations et d'autres méthodes que celles des nombres et des fluctuantes descriptions, si nous voulons nous servir, dans notre vie et notre travail, de la dynamisante sensibilité à la lune.

ÉPHÉMÉRIDES

PHASES DE LA LUNE
(Données fournies par l'Observatoire de la Marine américaine.)

J = JOUR
H = HEURE
M = MINUTE

NOUVELLE LUNE			PREMIER QUARTIER			PLEINE LUNE			DERNIER QUARTIER		
J	H	M	J	H	M	J	H	M	J	H	M
1978											
									Janv.	2 12	08
Janv.	9 04	01	Janv.	16 03	04	Janv.	24 07	56	Janv.	31 23	52
Fév.	7 14	56	Fév.	14 22	12	Fév.	23 01	27	Mars	2 08	35
Mars	9 02	37	Mars	16 18	21	Mars	24 16	21	Mars	31 15	11
Avril	7 15	16	Avril	15 13	56	Avril	23 04	11	Avril	29 21	03
Mai	7 04	47	Mai	15 07	40	Mai	22 13	17	Mai	29 03	32
Juin	5 19	02	Juin	13 22	45	Juin	20 20	32	Juin	27 11	45
Juil.	5 09	51	Juil.	13 10	50	Juil.	20 03	06	Juil.	26 22	32
Août	4 01	01	Août	11 20	07	Août	18 10	15	Août	25 12	19
Sept.	2 16	10	Sept.	10 03	21	Sept.	16 19	02	Sept.	24 05	08
Oct.	2 06	42	Oct.	9 09	38	Oct.	16 06	10	Oct.	24 00	35
Oct.	31 20	07	Nov.	7 16	19	Nov.	14 20	01	Nov.	22 21	25
Nov.	30 08	20	Déc.	7 00	35	Déc.	14 12	32	Déc.	22 17	42
Déc.	29 19	37									

PHASES DE LA LUNE

NOUVELLE LUNE			PREMIER QUARTIER			PLEINE LUNE			DERNIER QUARTIER		
J	H	M	J	H	M	J	H	M	J	H	M

1979

			Janv.	5	11 15	Janv.	13	07 09	Janv.	21	11 24
Janv.	28	06 20	Fév.	4	00 37	Fév.	12	02 40	Fév.	20	01 18
Fév.	26	16 46	Mars	5	16 23	Mars	13	21 15	Mars	21	11 23
Mars	28	03 00	Avril	4	09 58	Avril	12	13 16	Avril	19	18 31
Avril	26	13 16	Mai	4	04 26	Mai	12	02 01	Mai	18	23 57
Mai	26	00 01	Juin	2	22 39	Juin	10	11 56	Juin	17	05 02
Juin	24	11 59	Juil.	2	15 24	Juil.	9	20 01	Juil.	16	11 00
Juil.	24	01 42	Août	1	05 58	Août	8	03 22	Août	14	19 03
Août	22	17 11	Août	30	18 10	Sept.	6	11 00	Sept.	13	06 16
Sept.	21	09 48	Sept.	29	04 20	Oct.	5	19 37	Oct.	12	21 25
Oct.	21	02 24	Oct.	28	13 07	Nov.	4	05 48	Nov.	11	16 24
Nov.	19	18 04	Nov.	26	21 09	Déc.	3	18 09	Déc.	11	14 00
Déc.	19	08 24	Déc.	26	05 12						

1980

						Janv.	2	09 04	Janv.	10	11 51
Janv.	17	21 21	Janv.	24	13 59	Fév.	1	02 22	Fév.	9	07 37
Fév.	16	08 51	Fév.	23	00 15	Mars	1	21 00	Mars	9	23 49
Mars	16	18 57	Mars	23	12 32	Mars	31	15 15	Avril	8	12 07
Avril	15	03 47	Avril	22	03 01	Avril	30	07 35	Mai	7	20 51
Mai	14	12 01	Mai	21	19 17	Mai	29	21 29	Juin	6	02 54
Juin	12	20 39	Juin	20	12 32	Juin	28	09 03	Juil.	5	07 29
Juil.	12	06 46	Juil.	20	05 52	Juil.	27	18 55	Août	3	12 01
Août	10	19 10	Août	18	22 29	Août	26	03 43	Sept.	1	18 08
Sept.	9	10 01	Sept.	17	13 55	Sept.	24	12 09	Oct.	1	03 18
Oct.	9	02 51	Oct.	17	03 49	Oct.	23	20 53	Oct.	30	16 34
Nov.	7	20 43	Nov.	15	15 47	Nov.	22	06 40	Nov.	29	10 00
Déc.	7	14 36	Déc.	15	01 48	Déc.	21	18 09	Déc.	29	06 33

PHASES DE LA LUNE

NOUVELLE LUNE	PREMIER QUARTIER	PLEINE LUNE	DERNIER QUARTIER
J H M	J H M	J H M	J H M

1981

NOUVELLE LUNE	PREMIER QUARTIER	PLEINE LUNE	DERNIER QUARTIER
Janv. 6 07 25	Janv. 13 10 10	Janv. 20 07 40	Janv. 28 04 20
Fév. 4 22 15	Fév. 11 17 50	Fév. 18 22 59	Fév. 27 01 16
Mars 6 10 32	Mars 13 01 52	Mars 20 15 23	Mars 28 19 35
Avril 4 20 20	Avril 11 11 12	Avril 19 08 00	Avril 27 10 15
Mai 4 04 20	Mai 10 22 23	Mai 19 00 04	Mai 26 21 01
Juin 2 11 33	Juin 9 11 34	Juin 17 15 05	Juin 25 04 26
Juil. 1 19 04	Juil. 9 02 40	Juil. 17 04 40	Juil. 24 09 41
Juil. 31 03 53	Août 7 19 27	Août 15 16 38	Août 22 14 17
Août 29 14 45	Sept. 6 13 27	Sept. 14 03 10	Sept. 20 19 48
Sept. 28 04 08	Oct. 6 07 46	Oct. 13 12 51	Oct. 20 03 41
Oct. 27 20 14	Nov. 5 01 09	Nov. 11 22 28	Nov. 18 14 54
Nov. 26 14 39	Déc. 4 16 23	Déc. 11 08 42	Déc. 18 05 49
Déc. 26 10 11			

1982

NOUVELLE LUNE	PREMIER QUARTIER	PLEINE LUNE	DERNIER QUARTIER
	Janv. 3 04 47	Janv. 9 19 54	Janv. 16 23 59
Janv. 25 04 57	Fév. 1 14 29	Fév. 8 07 58	Fév. 15 20 22
Fév. 23 21 14	Mars 2 22 16	Mars 9 20 46	Mars 17 17 15
Mars 25 10 18	Avril 1 05 09	Avril 8 10 19	Avril 16 12 43
Avril 23 20 29	Avril 30 12 08	Mai 8 00 45	Mai 16 05 12
Mai 23 04 41	Mai 29 20 07	Juin 6 16 00	Juin 14 18 07
Juin 21 11 53	Juin 28 05 58	Juil. 6 07 32	Juil. 14 03 47
Juil. 20 18 58	Juil. 27 18 22	Août 4 22 35	Août 12 11 09
Août 19 02 46	Août 26 09 50	Sept. 3 12 29	Sept. 10 17 20
Sept. 17 12 10	Sept. 25 04 07	Oct. 3 01 10	Oct. 9 23 28
Oct. 17 00 05	Oct. 25 00 09	Nov. 1 12 58	Nov. 8 06 39
Nov. 15 15 11	Nov. 23 20 06	Déc. 1 00 22	Déc. 7 15 54
Déc. 15 09 19	Déc. 23 14 18	Déc. 30 11 34	

PHASES DE LA LUNE

NOUVELLE LUNE			PREMIER QUARTIER			PLEINE LUNE			DERNIER QUARTIER		
J	H	M	J	H	M	J	H	M	J	H	M

1983

									Janv.	6 04 01
Janv.	14 05 09	Janv.	22 05 35	Janv.	28 22 27	Fév.	4 19 18
Fév.	13 00 32	Fév.	20 17 33	Fév.	27 08 59	Mars	6 13 17
Mars	14 17 45	Mars	22 02 27	Mars	28 19 28	Avril	5 08 40
Avril	13 07 59	Avril	20 08 58	Avril	27 06 32	Mai	5 03 44
Mai	12 19 26	Mai	19 14 18	Mai	26 18 48	Juin	3 21 08
Juin	11 04 38	Juin	17 19 47	Juin	25 08 33	Juil.	3 12 13
Juil.	10 12 19	Juil.	17 02 52	Juil.	24 23 28	Août	2 00 53
Août	8 19 19	Août	15 12 48	Août	23 15 00	Août	31 11 23
Sept.	7 02 36	Sept.	14 02 25	Sept.	22 06 37	Sept.	29 20 06
Oct.	6 11 17	Oct.	13 19 43	Oct.	21 21 54	Oct.	29 03 38
Nov.	4 22 22	Nov.	12 15 49	Nov.	20 12 30	Nov.	27 10 51
Déc.	4 12 27	Déc.	12 13 10	Déc.	20 02 02	Déc.	26 18 53

1984

Janv.	3 05 16	Janv.	11 09 49	Janv.	18 14 06	Janv.	25 04 48
Fév.	1 23 47	Fév.	10 04 00	Fév.	17 00 42	Fév.	23 17 13
Mars	2 18 32	Mars	10 18 28	Mars	17 10 10	Mars	24 08 00
Avril	1 12 11	Avril	9 04 53	Avril	15 19 11	Avril	23 00 27
Mai	1 03 46	Mai	8 11 50	Mai	15 04 29	Mai	22 17 45
Mai	30 16 49	Juin	6 16 42	Juin	13 14 42	Juin	21 11 11
Juin	29 03 20	Juil.	5 21 05	Juil.	13 02 21	Juil.	21 04 02
Juil.	28 11 52	Août	4 02 34	Août	11 15 45	Août	19 19 42
Août	26 19 26	Sept.	2 10 30	Sept.	10 07 02	Sept.	18 09 32
Sept.	25 03 12	Oct.	1 21 53	Oct.	9 23 59	Oct.	17 21 14
Oct.	24 12 09	Oct.	31 13 09	Nov.	8 17 43	Nov.	16 07 00
Nov.	22 22 58	Nov.	30 08 01	Déc.	8 10 54	Déc.	15 15 26
Déc.	22 11 48	Déc.	30 05 28				

190

PHASES DE LA LUNE

NOUVELLE LUNE			PREMIER QUARTIER			PLEINE LUNE			DERNIER QUARTIER		
J	H	M	J	H	M	J	H	M	J	H	M

1985

						Janv.	7	02 18	Janv.	13	23 27
Janv.	21	02 30	Janv.	29	03 31	Fév.	5	15 19	Fév.	12	07 57
Fév.	19	18 44	Fév.	27	23 42	Mars	7	02 14	Mars	13	17 35
Mars	21	11 59	Mars	29	16 12	Avril	5	11 33	Avril	12	04 42
Avril	20	05 22	Avril	28	04 26	Mai	4	19 54	Mai	11	17 35
Mai	19	21 41	Mai	27	12 56	Juin	3	03 51	Juin	10	08 20
Juin	18	11 59	Juin	25	18 54	Juil.	2	12 09	Juil.	10	00 50
Juil.	17	23 58	Juil.	24	23 40	Juil.	31	21 42	Août	8	18 29
Août	16	10 07	Août	23	04 38	Août	30	09 28	Sept.	7	12 17
Sept.	14	19 21	Sept.	21	11 04	Sept.	29	00 09	Oct.	7	05 05
Oct.	14	04 34	Oct.	20	20 13	Oct.	28	17 38	Nov.	5	20 08
Nov.	12	14 21	Nov.	19	09 04	Nov.	27	12 43	Déc.	5	09 02
Déc.	12	00 55	Déc.	19	01 59	Déc.	27	07 31			

1986

									Janv.	3	19 49
Janv.	10	12 23	Janv.	17	22 14	Janv.	26	00 31	Fév.	2	04 42
Fév.	9	00 57	Fév.	16	19 56	Fév.	24	15 03	Mars	3	12 18
Mars	10	14 52	Mars	18	16 39	Mars	26	03 03	Avril	1	19 31
Avril	9	06 09	Avril	17	10 35	Avril	24	12 48	Mai	1	03 23
Mai	8	22 10	Mai	17	01 01	Mai	23	20 46	Mai	30	12 56
Juin	7	14 01	Juin	15	12 01	Juin	22	03 42	Juin	29	00 54
Juil.	7	04 56	Juil.	14	20 11	Juil.	21	10 41	Juil.	28	15 35
Août	5	18 36	Août	13	02 22	Août	19	18 55	Août	27	08 39
Sept.	4	07 11	Sept.	11	07 42	Sept.	18	05 35	Sept.	26	03 18
Oct.	3	18 55	Oct.	10	13 30	Oct.	17	19 23	Oct.	25	22 27
Nov.	2	06 03	Nov.	8	21 12	Nov.	16	12 13	Nov.	24	16 51
Déc.	1	16 44	Déc.	8	08 03	Déc.	16	07 06	Déc.	24	09 18
Déc.	31	03 11									

PHASES DE LA LUNE

NOUVELLE LUNE	PREMIER QUARTIER	PLEINE LUNE	DERNIER QUARTIER
J H M	J H M	J H M	J H M

1987

NOUVELLE LUNE	PREMIER QUARTIER	PLEINE LUNE	DERNIER QUARTIER
	Janv. 6 22 36	Janv. 15 02 31	Janv. 22 22 47
Janv. 29 13 46	Fév. 5 16 21	Fév. 13 20 59	Fév. 21 08 57
Fév. 28 00 51	Mars 7 11 58	Mars 15 13 13	Mars 22 16 22
Mars 29 12 47	Avril 6 07 49	Avril 14 02 32	Avril 20 22 16
Avril 28 01 36	Mai 6 02 26	Mai 13 12 51	Mai 20 04 04
Mai 27 15 14	Juin 4 18 54	Juin 11 20 50	Juin 18 11 03
Juin 26 05 37	Juil. 4 08 35	Juil. 11 03 33	Juil. 17 20 18
Juil. 25 20 38	Août 2 19 25	Août 9 10 18	Août 16 08 26
Août 24 12 00	Sept. 1 03 49	Sept. 7 18 14	Sept. 14 23 45
Sept. 23 03 09	Sept. 30 10 40	Oct. 7 04 13	Oct. 14 18 06
Oct. 22 17 29	Oct. 29 17 11	Nov. 5 16 47	Nov. 13 14 39
Nov. 21 06 34	Nov. 28 00 38	Déc. 5 08 02	Déc. 13 11 42
Déc. 20 18 26	Déc. 27 10 01		

1988

NOUVELLE LUNE	PREMIER QUARTIER	PLEINE LUNE	DERNIER QUARTIER
		Janv. 4 01 41	Janv. 12 07 04
Janv. 19 05 27	Janv. 25 21 55	Fév. 2 20 53	Fév. 10 23 01
Fév. 17 15 56	Fév. 24 12 16	Mars 3 16 02	Mars 11 10 57
Mars 18 02 03	Mars 25 04 42	Avril 2 09 22	Avril 9 19 22
Avril 16 12 01	Avril 23 22 32	Mai 1 23 42	Mai 9 01 24
Mai 15 22 11	Mai 23 16 50	Mai 31 10 54	Juin 7 06 23
Juin 14 09 15	Juin 22 10 24	Juin 29 19 47	Juil. 6 11 38
Juil. 13 21 53	Juil. 22 02 16	Juil. 29 03 26	Août 4 18 23
Août 12 12 32	Août 20 15 52	Août 27 10 57	Sept. 3 03 52
Sept. 11 04 51	Sept. 19 03 19	Sept. 25 19 08	Oct. 2 16 59
Oct. 10 21 50	Oct. 18 13 02	Oct. 25 04 36	Nov. 1 10 12
Nov. 9 14 21	Nov. 16 21 36	Nov. 23 15 54	Déc. 1 06 50
Déc. 9 05 37	Déc. 16 05 41	Déc. 23 05 29	Déc. 31 04 58

PHASES DE LA LUNE

NOUVELLE LUNE	PREMIER QUARTIER	PLEINE LUNE	DERNIER QUARTIER
J H M	J H M	J H M	J H M

1989

Janv. 7 19 23	Janv. 14 14 00	Janv. 21 21 34	Janv. 30 02 04
Fév. 6 07 38	Fév. 12 23 15	Fév. 20 15 33	Fév. 28 20 08
Mars 7 18 20	Mars 14 10 11	Mars 22 09 59	Mars 30 10 23
Avril 6 03 34	Avril 12 23 14	Avril 21 03 14	Avril 28 20 46
Mai 5 11 48	Mai 12 14 21	Mai 20 18 17	Mai 28 04 01
Juin 3 19 54	Juin 11 07 00	Juin 19 06 58	Juin 26 09 10
Juil. 3 05 00	Juil. 11 00 20	Juil. 18 17 43	Juil. 25 13 33
Août 1 16 06	Août 9 17 29	Août 17 03 07	Août 23 18 41
Août 31 05 45	Sept. 8 09 50	Sept. 15 11 51	Sept. 22 02 11
Sept. 29 21 48	Oct. 8 00 53	Oct. 14 20 33	Oct. 21 13 19
Oct. 29 15 29	Nov. 6 14 12	Nov. 13 05 52	Nov. 20 04 45
Nov. 28 09 42	Déc. 6 01 26	Déc. 12 16 31	Déc. 19 23 55
Déc. 28 03 21			

1990

	Janv. 4 10 41	Janv. 11 04 58	Janv. 18 21 18
Janv. 26 19 21	Fév. 2 18 33	Fév. 9 19 17	Fév. 17 18 49
Fév. 25 08 55	Mars 4 02 06	Mars 11 10 59	Mars 19 14 31
Mars 26 19 49	Avril 2 10 25	Avril 10 03 20	Avril 18 07 03
Avril 25 04 28	Mai 1 20 19	Mai 9 19 31	Mai 17 19 46
Mai 24 11 48	Mai 31 08 12	Juin 8 11 02	Juin 16 04 49
Juin 22 18 56	Juin 29 22 08	Juil. 8 01 24	Juil. 15 11 05
Juil. 22 02 55	Juil. 29 14 02	Août 6 14 21	Août 13 15 55
Août 20 12 40	Août 28 07 36	Sept. 5 01 47	Sept. 11 20 54
Sept. 19 00 47	Sept. 27 02 07	Oct. 4 12 03	Oct. 11 03 32
Oct. 18 15 38	Oct. 26 20 27	Nov. 2 21 49	Nov. 9 13 02
Nov. 17 09 05	Nov. 25 13 12	Déc. 2 07 51	Déc. 9 02 05
Déc. 17 04 23	Déc. 25 03 17	Déc. 31 18 37	

PHASES DE LA LUNE

NOUVELLE LUNE			PREMIER QUARTIER			PLEINE LUNE			DERNIER QUARTIER		
J	H	M	J	H	M	J	H	M	J	H	M

1991

									Janv.	7 18 37
Janv.	15 23 51	Janv.	23 14 23	Janv.	30 06 10	Fév.	6 13 53
Fév.	14 17 33	Fév.	21 22 59	Fév.	28 18 26	Mars	8 10 33
Mars	16 08 11	Mars	23 06 03	Mars	30 07 18	Avril	7 06 47
Avril	14 19 38	Avril	21 12 40	Avril	28 21 00	Mai	7 00 48
Mai	14 04 37	Mai	20 19 47	Mai	28 11 38	Juin	5 15 31
Juin	12 12 07	Juin	19 04 20	Juin	27 03 00	Juil.	5 02 51
Juil.	11 19 07	Juil.	18 15 12	Juil.	26 18 25	Août	3 11 27
Août	10 02 28	Août	17 05 02	Août	25 09 08	Sept.	1 18 17
Sept.	8 11 02	Sept.	15 22 02	Sept.	23 22 41	Oct.	1 00 31
Oct.	7 21 39	Oct.	15 17 34	Oct.	23 11 09	Oct.	30 07 12
Nov.	6 11 12	Nov.	14 14 02	Nov.	21 22 58	Nov.	28 15 22
Déc.	6 03 57	Déc.	14 09 33	Déc.	21 10 24	Déc.	28 01 56

1992

Janv.	4 23 11	Janv.	13 02 33	Janv.	19 21 30	Janv.	26 15 28
Fév.	3 19 00	Fév.	11 16 16	Fév.	18 08 04	Fév.	25 07 57
Mars	4 13 24	Mars	12 02 37	Mars	18 18 19	Mars	26 02 31
Avril	3 05 02	Avril	10 10 07	Avril	17 04 44	Avril	24 21 40
Mai	2 17 46	Mai	9 15 45	Mai	16 16 04	Mai	24 15 54
Juin	1 03 57	Juin	7 20 48	Juin	15 04 51	Juin	23 08 12
Juin	30 12 19	Juil.	7 02 45	Juil.	14 19 07	Juil.	22 22 13
Juil.	29 19 36	Août	5 10 59	Août	13 10 28	Août	21 10 02
Août	28 02 43	Sept.	3 22 40	Sept.	12 02 17	Sept.	19 19 54
Sept.	26 10 41	Oct.	3 14 13	Oct.	11 18 04	Oct.	19 04 13
Oct.	25 20 35	Nov.	2 09 12	Nov.	10 09 21	Nov.	17 11 40
Nov.	24 09 12	Déc.	2 06 18	Déc.	9 23 41	Déc.	16 19 15
Déc.	24 00 43						

PHASES DE LA LUNE

NOUVELLE LUNE			PREMIER QUARTIER			PLEINE LUNE			DERNIER QUARTIER		
J	H	M	J	H	M	J	H	M	J	H	M

1997

									Janv.	2	01 46
Janv.	9	04 26	Janv.	15	20 03	Janv.	23	15 12	Janv.	31	19 41
Fév.	7	15 08	Fév.	14	08 58	Fév.	22	10 28	Mars	2	09 39
Mars	9	01 15	Mars	16	00 07	Mars	24	04 46	Mars	31	19 39
Avril	7	11 03	Avril	14	17 01	Avril	22	20 35	Avril	30	02 37
Mai	6	20 48	Mai	14	10 56	Mai	22	09 14	Mai	29	07 52
Juin	5	07 05	Juin	13	04 53	Juin	20	19 10	Juin	27	12 43
Juil.	4	18 41	Juil.	12	21 45	Juil.	20	03 21	Juil.	26	18 30
Août	3	08 15	Août	11	12 43	Août	18	10 57	Août	25	02 24
Sept.	1	23 53	Sept.	10	01 33	Sept.	16	18 52	Sept.	23	13 37
Oct.	1	16 53	Oct.	9	12 23	Oct.	16	03 47	Oct.	23	04 50
Oct.	31	10 02	Nov.	7	21 44	Nov.	14	14 13	Nov.	21	23 59
Nov.	30	02 15	Déc.	7	06 11	Déc.	14	02 38	Déc.	21	21 44
Déc.	29	16 58									

1998

			Janv.	5	14 20	Janv.	12	17 25	Janv.	20	19 41
Janv.	28	06 02	Fév.	3	22 54	Fév.	11	10 24	Fév.	19	15 28
Fév.	26	17 27	Mars	5	08 42	Mars	13	04 35	Mars	21	07 38
Mars	28	03 15	Avril	3	20 20	Avril	11	22 24	Avril	19	19 54
Avril	26	11 43	Mai	3	10 05	Mai	11	14 30	Mai	19	04 36
Mai	25	19 34	Juin	2	01 46	Juin	10	04 19	Juin	17	10 40
Juin	24	03 52	Juil.	1	18 43	Juil.	9	16 02	Juil.	16	15 15
Juil.	23	13 45	Juil.	31	12 06	Août	8	02 11	Août	14	19 49
Août	22	02 04	Août	30	05 08	Sept.	6	11 23	Sept.	13	01 59
Sept.	20	17 02	Sept.	28	21 12	Oct.	5	20 13	Oct.	12	11 12
Oct.	20	10 10	Oct.	28	11 47	Nov.	4	05 20	Nov.	11	00 29
Nov.	19	04 28	Nov.	27	00 24	Déc.	3	15 21	Déc.	10	17 55
Déc.	18	22 44	Déc.	26	10 47						

PHASES DE LA LUNE

NOUVELLE LUNE	PREMIER QUARTIER	PLEINE LUNE	DERNIER QUARTIER
J H M	J H M	J H M	J H M

1999

NOUVELLE LUNE	PREMIER QUARTIER	PLEINE LUNE	DERNIER QUARTIER
		Janv. 2 02 51	Janv. 9 14 23
Janv. 17 15 47	Janv. 24 19 17	Janv. 31 16 08	Fév. 8 11 59
Fév. 16 06 40	Fév. 23 02 44	Mars 2 07 00	Mars 10 08 42
Mars 17 18 49	Mars 24 10 19	Mars 31 22 50	Avril 9 02 52
Avril 16 04 23	Avril 22 19 03	Avril 30 14 56	Mai 8 17 29
Mai 15 12 06	Mai 22 05 35	Mai 30 06 41	Juin 7 04 21
Juin 13 19 04	Juin 20 18 14	Juin 28 21 38	Juil. 6 11 58
Juil. 13 02 25	Juil. 20 09 02	Juil. 28 11 26	Août 4 17 28
Août 11 11 09	Août 19 01 48	Août 26 23 49	Sept. 2 22 18
Sept. 9 22 03	Sept. 17 20 07	Sept. 25 10 52	Oct. 2 04 03
Oct. 9 11 36	Oct. 17 15 00	Oct. 24 21 04	Oct. 31 12 05
Nov. 8 03 54	Nov. 16 09 04	Nov. 23 07 05	Nov. 29 23 19
Déc. 7 22 32	Déc. 16 00 51	Déc. 22 17 33	Déc. 29 14 05

2000

NOUVELLE LUNE	PREMIER QUARTIER	PLEINE LUNE	DERNIER QUARTIER
Janv. 6 18 14	Janv. 14 13 35	Janv. 21 04 41	Janv. 28 07 58
Fév. 5 13 04	Fév. 12 23 22	Fév. 19 16 28	Fév. 27 03 55
Mars 6 05 18	Mars 13 07 00	Mars 20 04 45	Mars 28 00 22
Avril 4 18 14	Avril 11 13 31	Avril 18 17 43	Avril 26 19 31
Mai 4 04 13	Mai 10 20 01	Mai 18 07 36	Mai 26 11 56
Juin 2 12 16	Juin 9 03 31	Juin 16 22 28	Juin 25 01 01
Juil. 1 19 21	Juil. 8 12 55	Juil. 16 13 56	Juil. 24 11 03
Juil. 31 02 26	Août 7 01 03	Août 15 05 14	Août 22 18 52
Août 29 10 20	Sept. 5 16 28	Sept. 13 19 38	Sept. 21 01 29
Sept. 27 19 54	Oct. 5 11 00	Oct. 13 08 54	Oct. 20 08 00
Oct. 27 07 59	Nov. 4 07 27	Nov. 11 21 15	Nov. 18 15 26
Nov. 25 23 13	Déc. 4 03 56	Déc. 11 09 04	Déc. 18 00 43
Déc. 25 17 22			

PHASES DE LA LUNE

NOUVELLE LUNE				PREMIER QUARTIER				PLEINE LUNE				DERNIER QUARTIER			
	J	H	M		J	H	M		J	H	M		J	H	M

2001

NOUVELLE LUNE				PREMIER QUARTIER				PLEINE LUNE				DERNIER QUARTIER			
				Janv.	2	22	32	Janv.	9	20	26	Janv.	16	12	36
Janv.	24	13	08	Fév.	1	14	04	Fév.	8	07	13	Fév.	15	03	25
Fév.	23	08	22	Mars	3	02	04	Mars	9	17	24	Mars	16	20	46
Mars	25	01	22	Avril	1	10	50	Avril	8	03	23	Avril	15	15	32
Avril	23	15	27	Avril	30	17	09	Mai	7	13	54	Mai	15	10	11
Mai	23	02	47	Mai	29	22	10	Juin	6	01	40	Juin	14	03	29
Juin	21	11	59	Juin	28	03	21	Juil.	5	15	05	Juil.	13	18	46
Juil.	20	19	46	Juil.	27	10	09	Août	4	05	57	Août	12	07	54
Août	19	02	57	Août	25	19	56	Sept.	2	21	44	Sept.	10	19	00
Sept.	17	10	28	Sept.	24	09	32	Oct.	2	13	49	Oct.	10	04	21
Oct.	16	19	24	Oct.	24	02	59	Nov.	1	05	42	Nov.	8	12	22
Nov.	15	06	41	Nov.	22	23	21	Nov.	30	20	50	Déc.	7	19	53
Déc.	14	20	48	Déc.	22	20	57	Déc.	30	10	42				

2002

NOUVELLE LUNE				PREMIER QUARTIER				PLEINE LUNE				DERNIER QUARTIER			
												Janv.	6	03	56
Janv.	13	13	30	Janv.	21	17	48	Janv.	28	22	52	Fév.	4	13	34
Fév.	12	07	41	Fév.	20	12	03	Fév.	27	09	18	Mars	6	01	26
Mars	14	02	04	Mars	22	02	30	Mars	28	18	26	Avril	4	15	30
Avril	12	19	22	Avril	20	12	49	Avril	27	03	01	Mai	4	07	17
Mai	12	10	47	Mai	19	19	43	Mai	26	11	53	Juin	3	00	06
Juin	10	23	47	Juin	18	00	31	Juin	24	21	43	Juil.	2	17	21
Juil.	10	10	27	Juil.	17	04	48	Juil.	24	09	08	Août	1	10	24
Août	8	19	16	Août	15	10	13	Août	22	22	30	Août	31	02	32
Sept.	7	03	11	Sept.	13	18	10	Sept.	21	14	00	Sept.	29	17	04
Oct.	6	11	19	Oct.	13	05	35	Oct.	21	07	21	Oct.	29	05	29
Nov.	4	20	36	Nov.	11	20	54	Nov.	20	01	35	Nov.	27	15	47
Déc.	4	07	35	Déc.	11	15	49	Déc.	19	19	11	Déc.	27	00	32

Les pouvoirs de la lune

PHASES DE LA LUNE

NOUVELLE LUNE			PREMIER QUARTIER			PLEINE LUNE			DERNIER QUARTIER		
J	H	M	J	H	M	J	H	M	J	H	M

2003

Janv.	2	20 24	Janv.	10	13 16	Janv.	18	10 49	Janv.	25	08 35
Fév.	1	10 50	Fév.	9	11 13	Fév.	16	23 52	Fév.	23	16 47
Mars	3	02 36	Mars	11	07 17	Mars	18	10 35	Mars	25	01 53
Avril	1	19 19	Avril	9	23 41	Avril	16	19 37	Avril	23	12 20
Mai	1	12 15	Mai	9	11 54	Mai	16	03 37	Mai	23	00 31
Mai	31	04 20	Juin	7	20 28	Juin	14	11 17	Juin	21	14 46
Juin	29	18 40	Juil.	7	02 33	Juil.	13	19 22	Juil.	21	07 02
Juil.	29	06 54	Août	5	07 29	Août	12	04 50	Août	20	00 49
Août	27	17 27	Sept.	3	12 36	Sept.	10	16 38	Sept.	18	19 04
Sept.	26	03 10	Oct.	2	19 11	Oct.	10	07 28	Oct.	18	12 32
Oct.	25	12 51	Nov.	1	04 26	Nov.	9	01 14	Nov.	17	04 17
Nov.	23	23 01	Nov.	30	17 17	Déc.	8	20 37	Déc.	16	17 43
Déc.	23	09 45	Déc.	30	10 04						

TABLE DES MATIÈRES

Pour nos ancêtres, il était hors de doute que la lune avait un pouvoir. Cette phrase de Donne : « Nul n'est une île », s'étend à tout l'univers. Des faits physiologiques très réels trahissent certains changements dans l'aspect de l'être humain durant la pleine lune. Mes recherches sur l'influence des cycles de la lune sur le comportement agressif de l'homme permettent de mieux comprendre la vigueur étrange, dans l'imagination humaine, de la légende du loup-garou. Le démoniaque « fils de Sam » de New York, qui assassinait la nuit, accomplit ses meurtres cinq fois sur huit pendant la pleine ou la nouvelle lune. Entre avril 1976 et avril 1977, il y a eu neuf suicides du haut du pont de Golden Gate, neuf nuits de pleine lune. Mais on ne peut excuser les actes commis sous son influence.

La police et les pompiers sont convaincus qu'il existe un lien entre la lune et la violence. Les courbes représentant la fréquence des homicides dans le district de Dade révèlent une surprenante analogie avec les phases de la lune. En somme, la vie biologique est soumise à des hauts et des bas qui sont provoqués par la lune. La montée de la masse liquide peut accabler l'organisme jusqu'à perturber même la personnalité. Mais nous avons un préjugé évident qui tend à nous faire ignorer les effets de la lune sur notre vie quotidienne. Le soleil, à qui nous nous adressons pour ce qui est de la mesure du temps, nous fait ignorer le rythme de la lune et ses influences.

Les organismes vivants sont tantôt réceptifs et tantôt non réceptifs à l'environnement qui les entoure. Pour ce qui est des cycles de la lune, c'est le cycle de ses phases qui est déterminant dans la régulation des plantes, des animaux et des activités humaines. Un enfer se déchaîna quand la lune ne fut qu'à 350 000 kilomètres de la terre. Aussi, l'explosion de violence des trois premières semaines de janvier 1974 était parfaitement prévisible.

L'être humain est une symphonie de rythmes et de cycles. Le système de reproduction de l'homme suit le calendrier lunaire; les forces qui nous entourent proviennent des cycles cosmiques, elles agissent dès la naissance, et déterminent donc les rythmes biologiques de l'individu.

Toutes les formes de la vie sont des résonateurs cosmiques. La maladie mentale se traduit par des changements dans l'état des champs électriques du sujet. L'organisme perçoit probablement les variations des champs électromagnétiques de la terre provoqués par les interactions entre les mouvements de la lune, de la terre et du soleil — il s'agit d'une espèce de perception extra-sensorielle. Un individu qui se trouve dans un état de tension nerveuse peut subir une accélération des battements de son cœur à cause de l'attraction de la lune. Mais comme nous vivons maintenant exclusivement selon le soleil, bien des informations vitales nous échappent.

La lune déforme la terre comme si celle-ci n'était qu'une balle de caoutchouc. L' « effet Piccardi » sur l'eau permet de supposer que les événements cosmiques ont un effet possible sur le corps, par l'intermédiaire des champs électro-magnétiques. Nous nous apercevons seulement maintenant que les Russes ont accumulé un important matériel de connaissances portant sur l'environnement géophysique. La lune peut fort bien être responsable des disparitions survenant dans le triangle des Bermudes. Il est certain que les organismes vivants, au long de leur évolution, utilisent les champs électromagnétiques afin d'acquérir des informations sur les variations qui se déroulent dans leur environnement naturel. L'électrophotographie du doigt d'un guérisseur révèle un énorme changement dès qu'il « met en action » son pouvoir.

L'évidence des effets de la lune sur l'évolution constitue le principal argument en faveur de la théorie des marées biologiques. Nos ancêtres, qui se méfiaient de la pleine lune en restant éveillés au lieu de dormir, vécurent plus long-temps et laissèrent une progéniture plus nombreuse, ce modèle lunaire est imprimé dans notre héritage géné-tique. Les fluctuations électromagnétiques sont reçues directement par notre système nerveux et agissent par-fois sur la mutation des chromosomes. Si l'homme devient capable d'accepter la violence de ses impulsions, il n'a plus besoin d'un bouc émissaire — qu'il soit un être humain ou un animal. Les mythes de la lune ou du soleil sont des calques de la structure et du cheminement de la pensée. Pour avoir attaché trop exclusivement de l'importance à notre rationalisme solaire, nous avons ralenti l'évolution de notre pensée créatrice.

Si les tremblements de terre prévus pour la prochaine décade sont suivis d'un important bouleversement dans le comportement de la population, ce sera là une impressionnante vérification de quelques doctrines des anciens astrologues, et, bien sûr, de nos théories. Il est un problème universel et irrésolu dans l'étude des influences de l'environnement naturel sur le comportement humain, c'est la foncière inadaptation de la méthode statistique. On tient grand cas du rationnel dans un monde où seul un comportement raisonnable est accepté par la société. Mais nous devons être attentifs à notre inconscient et à nos facultés intuitives si nous voulons agir sagement. La vague de désespoir dans notre société est particulièrement sensible vue sous la lumière de la lune. Réprimer l'influence de la lune aboutit à accentuer les tensions sociales, les discordes et les événements malheureux ou souvent bizarres. La lune devient meurtrière pour les individus qui n'ont pas un bon équilibre psychique, ou pour une société trop rigide pour se plier aux énergies cosmiques. Parce que notre société est incapable d'accepter l'aspect intuitif de la nature humaine, il existe un vaste marché de pseudo-connaissances sur le cosmos.

Nous vivons dans un monde électromagnétique. Mon hypothèse sur les marées biologiques est que le corps humain est aussi sensible aux influences cosmiques que la terre, et qu'il subit les flux et les reflux des marées gravitationnelles et électromagnétiques. Il est raisonnablement possible de penser que la gravité exerce sur la masse d'eau du corps un effet direct, tout comme celui de la masse d'eau de la planète. L'impression que l'on a de ne pas être « dans un bon jour » peut parfois trouver ses causes hors de la planète. Les saignements particulièrement abondants en période de nouvelle ou de pleine lune montrent, plus qu'il n'est besoin, l'évidence des marées biologiques. L'un des effets notables de l'environnement sur la conscience est la diminution de notre conscience de cet environnement. Un nouveau champ d'exploration pour la science se développe, il s'agit de la cosmobiologie :

une spécialité scientifique qui vise à unifier et à clarifier les relations entre l'homme et l'univers, d'après les lois de la nature, connues ou en train de l'être.

Les forces cosmiques ont cet avantage qu'elles sont prévisibles. Une montée dangereuse de la marée biologique peut être contrecarrée par l'injection d'une simple substance chimique dans la masse liquide du corps. Si, dans ce que nous avons étudié, il se trouve un moyen de réduire le niveau de la violence attribuable à la lune, nous aurons accompli un progrès non négligeable. On constate beaucoup moins de crimes violents dans les sociétés qui vivent selon le calendrier lunaire. Les personnes âgées sont généralement plus sensibles aux perturbations de l'environnement géophysique que les jeunes; quant aux maladies maniaco-dépressives, elles accentuent considérablement la réaction. Un emploi du temps approprié et une certaine vigilance permettent d'apprendre à vivre en harmonie avec les forces cosmiques et avec notre environnement naturel.